KUAILE HAN…

快乐汉语

编 者 李晓琪 罗青松 刘晓雨 王淑红 宣 雅

2 第二版

人民教育出版社
·北京·

图书在版编目（CIP）数据

快乐汉语：英语版．第2册/李晓琪等编．—2版．—北京：人民教育出版社，2014.5（2018.7重印）

ISBN 978-7-107-28016-0

Ⅰ．①快… Ⅱ．①李… Ⅲ．①汉语—对外汉语教学—教材 Ⅳ．①H195.4

中国版本图书馆CIP数据核字（2014）第118994号

快乐汉语 英语版 第二册

出版发行 人民教育出版社
（北京市海淀区中关村南大街17号院1号楼 邮编：100081）
网 址 http://www.pep.com.cn
经 销 全国新华书店
印 刷 大厂益利印刷有限公司
版 次 2014年5月第2版
印 次 2018年7月第5次印刷
开 本 890毫米×1 240毫米 1/16
印 张 12.25
印 数 12 001～15 000册
定 价 85.00元
审 图 号 GS（2014）1160号
Printed in the People's Republic of China

总 策 划　许　琳　殷忠民　韦志榕

总 监 制　夏建辉　郑旺全

监　　制　张彤辉　顾　蕾　刘根芹
　　　　　王世友　赵晓非

编　　者　李晓琪　罗青松　刘晓雨
　　　　　王淑红　宣　雅

责任编辑　田　睿

美术编辑　张　蓓

审　　稿　狄国伟　赵晓非

英文审稿　Sarah Miller［美］

封面设计　金　葆

插图制作　薛成生　高　爽

第二版前言

2003年，《快乐汉语》系列教材由人民教育出版社出版，适时地满足了海内外中小学国际汉语教材的市场需求，受到了广大使用者的普遍欢迎，同时也得到了同行们的广泛认同。作为编写者，我们由衷地感到欣慰。十年过去了，随着时代的发展，中文教学进入了一个新的阶段，《快乐汉语》教材也需要与时俱进，及时修订。在国家汉办的指导下，编写组的全体成员认真分析了来自世界各地的使用者的修订意见和建议，参考了《HSK考试大纲》、新《中小学生汉语考试（YCT）大纲》、新版GCSE以及其他国家的汉语课程标准，再度与人民教育出版社密切合作，推出了全新的《快乐汉语》（第二版）系列教材。第二版在保留第一版寓教于乐的核心理念与基本特色的基础上，重点在以下方面进行了改进：

第一，坚持以培养学习者的交际能力为教学目标和教学理念，为青少年儿童提供寓教于乐的听、说、读、写、译五个方面的汉语学习资源。为此，《快乐汉语》（第二版）适当地补充了学习内容，增加了词汇量，使之更贴近和符合HSK大纲、YCT大纲及《国际汉语教学通用课程大纲》的要求。第一册单词量为173个，句型93个，达到HSK一级的要求；完成第二册的学习后，总词汇量为430个，句型216个，达到HSK二级的要求；完成第三册的学习后，总词汇量为804个，句型339个，达到HSK三级的要求。

第二，语言是桥梁，是工具，学习汉语的重要目的是帮助学习者了解和掌握基本的中国文化知识及具备一定的跨文化交际能力。为此，编写组在第二版的编写中着力考虑如何加大文化知识的内容，特别是在学生用书中体现出生动丰富的文化内涵。第二版学生用书的每个单元都增加了中国文化专题页，文化页以反映本单元主题的图画、照片和实物为展示主体，配以简短的英文说明。文化页的内容选择，既充分考虑到中华传统文化的精髓，也特别关注当代中国的发展，还注意到该年龄段学习者的兴趣取向，努力做到几方面的完美结合。教师用书对相应主题的文化知识进行拓展和延伸，以帮助教师教学。此外，教师用书中原则上每课仍然保留一个与本课学习内容相关的文化点。

第三，近十多年来，第二语言教学法不断发展，注重语言交际能力的培养已经成为学界的共识。为突显这一点，《快乐汉语》（第二版）在每课课前增设了“学习目标”，帮助教师和学生更好地掌握本课的主要学习内容和学习重点。学习目标的制订以培养学习者使用汉语进行听说读写、交换信息、表达观点与感受以及对事情的理解为原则；帮助学习者将汉语课程与其他课程的领域及内容相结合，为未来进一步获取汉语知识、开阔国际视野打下基础；同时，学习目标也注意培养学生在课内、课外、社区乃至社会，根据不同的场合合理使用汉语的能力，实现交际能力的培养与实际生活中的汉语运用紧密结合。

第四，《快乐汉语》（第二版）配备的学生练习册题量比较充足，每课均在十个或十个以上。练习的种类比较齐备，涵盖听、说、读、写、译五个方面。练习的方式多种多样，题目的设定多带有游戏的意味，活泼又具挑战性。特别要说明的是，练习的设定始终遵循从机械性练习向有意义的练习过渡的原则，在此基础上逐渐实现练习的最终目的——帮助学习者增长汉语知识，激发学习动力，提高其运用汉语进行交际的能力。

第五，在听取使用者意见的基础上，为更好地体现教材由浅入深、循序渐进的原则，语音的学习与使用采用阶梯型设计：第一册为基础语音学习与训练阶段；第二册为巩固与过渡阶段；为逐步提高学习者的汉字阅读能力，第三册主课文和部分练习不再标注拼音。希望通过这样的设置，全面提高学习者的汉语能力。

第六，一部内容充实、丰富、好用的教材，应该有与之相应的外观和表现形式。《快乐汉语》（第二版）启用时尚的版式设计和插图绘制风格，增加实景照片，加强亲和力，使教材更贴近当代生活，更具有时代气息，更符合青少年的兴趣。

由于本次修订的时间比较紧，第二版可能还会有不尽如人意的地方，我们诚恳地希望广大使用者能够给予指正。最后，我们真诚地希望，以上的努力能够吸引更多的青少年汉语学习者使用《快乐汉语》系列教材，与我们一起分享学习汉语的快乐与成功，在汉语文化的天空自由飞翔！

编　者

2014年4月

Foreword
(to the Second Edition)

The first edition of the *Kuaile Hanyu* textbook series was published in 2003 by the People's Education Press in response to the demand at home and abroad for primary and secondary school Chinese textbooks. The authors were pleased by the series' good reception among the users of the textbooks and also among their peers. However, in the past ten years, as Chinese language teaching has entered a new phase, it has become clear that *Kuaile Hanyu* should be revised to keep up with the changing times. With the assistance of the Hanban (Confucius Institute Headquarters), the *Kuaile Hanyu* authors analyzed opinions and suggestions offered by users of the series from around the world. The authors also consulted the *New HSK Outline*, the *New Youth Chinese Test (YCT) Outline,* the new UK GCSE and the Chinese language education criteria of several other countries to produce this second edition of the *Kuaile Hanyu* series, again in cooperation with the People's Education Press.

The second edition has maintained the core ideas and fundamental characteristics of the first edition while improving or enhancing emphasis of the following areas. The first major goal of this second edition is to provide learning materials which emphasize the development of students' communicative competence in five key areas: listening, speaking, reading, writing, and translation. For this reason, the second edition has enriched its content and increased its vocabulary requirements to conform to the *New HSK Outline*, the *New YCT Outline*, and the *New International Curriculum for Chinese Language Education*. After finishing Book 1 of *Kuaile Hanyu*, which covers 173 words and 93 sentence patterns, students should be ready to pass Level 1 of the HSK. Upon completion of Book 2, the students will have acquired a total vocabulary of 430 words and 216 sentence patterns, which should enable them to pass HSK Level 2. By the end of Book 3, the students will have mastered a total of 804 words and 339 sentence patterns, preparing them to pass HSK Level 3.

The second major goal of this second edition is to present Chinese as a bridge for students to understand basic Chinese culture and as a general tool for acquiring the ability to communicate across cultures. To this end, the *Kuaile Hanyu* authors have included more information about Chinese culture than in the first edition, especially in the student's books. Each unit in the student's books has a "Chinese Culture" section, which presents a different aspect of Chinese culture, related to the topic of the unit, with pictures and a brief English description. These "Chinese Culture" sections try to achieve a good balance by covering both the essence of traditional Chinese culture and also the development of contemporary China, taking into consideration the interests of young students. The teacher's books still provide additional information on the topics to facilitate teaching, with the second edition of the teacher's books providing further information in particular on the "Chinese Culture" point for each lesson.

Third, to keep up with the rapid development of second language teaching methods over the past decade and also with the current general consensus in academia to focus on language communicative competence, the second edition presents "learning objectives" before each lesson to help teachers and students grasp the lesson content and key points more clearly. The learning objectives are set with the goal of developing students' basic abilities in listening, speaking, reading, and writing, as well as exchanging information, expressing opinions and feelings, and improving general comprehension. The objectives help students to combine the content of their Chinese language course with their other courses, laying a foundation for further Chinese learning and helping students gain a broader international vision for the future. The learning objectives also emphasize the training of students to use Chinese appropriately in class, outside class, in the community, and in society, so that they can integrate their communicative competence with real life situations.

The fourth goal of this new edition is to improve the exercise book by increasing the number and quality of the exercises. Every lesson has ten or more well-designed exercises for practicing listening, speaking, reading, writing, and translation. The activities are varied, fun, interesting and challenging, ranging from mechanical practice to meaningful practice and designed to expand the students' knowledge, increase their motivation, and improve their ability to communicate in Chinese.

The fifth goal, based on feedback from users of the first edition, is to adopt a "step-by-step" principle for the Chinese phonetic system, using a more gradual, progressive manner of presentation: Book 1 focuses on basic phonetic training; Book 2 aims to consolidate the students' knowledge and prepare them for further learning; Book 3 no longer provides *pinyin* with the articles and some exercises, in order to improve students' reading ability. The authors hope that this design will develop students' Chinese competence in a more comprehensive manner.

The sixth goal of the new edition is, like any useful textbook, to have an appealing appearance to match the enriched content. The new edition features an updated layout design and illustration style. Photos of realistic scenes have also been added to keep the series up to date with modern life and the interests of teenagers.

Due to the limited time for revision, the second edition may be less than perfect, and so the authors would welcome criticisms and corrections. Finally, the authors sincerely hope that more young people will find *Kuaile Hanyu* an appealing textbook series and come to share in the joy and success of learning Chinese!

Authors

April, 2014

第一版前言

语言是人类沟通信息、交流思想最直接的工具，是人们交流、交往的桥梁。随着中国的发展，近些年来世界上学习汉语的人越来越多，很多国家从小学、中学就开始了汉语教学。为了配合这一趋势，满足世界上中小学汉语教学对教材的需求，国家汉办/孔子学院总部立项并委托我们为母语为英语的中学生编写了《快乐汉语》系列教材。

《快乐汉语》系列教材分为三个等级，每级包括学生用书和配套的教师用书、练习册，另外还配有词语卡片、教学挂图、CD等。该教材从设计、编写到制作出版，每一方面都力图做到符合11—16岁学生的心理特点和学习需求，符合有关国家教学大纲的规定。教材重点培养学生在自然环境中学习汉语的兴趣和汉语交际能力，同时能够为以后继续学习和提高打下坚实的基础。

我们希望这套教材能使每一个想学习汉语的学生都对汉语产生浓厚的兴趣，使每一个已经开始学习汉语的学生感到，汉语并不难学，学习汉语实际上是一种轻松愉快的活动和经历，并真正让每个学生在快乐的学习中提高自己的汉语能力，掌握通往中国文化宝库的金钥匙。我们也希望广大教师都愿意使用这套教材，并与中国同行建立起密切的联系。

最后，我们祝愿所有学习汉语的学生都取得成功！

编　者

2003年7月14日

Foreword
(to the First Edition)

Language is the most direct way for mankind to communicate information and exchange ideas, and therefore serves as a bridge between different peoples and cultures. The Chinese language has begun to enjoy increasing popularity around the world, spreading with the development of China. Chinese language courses are offered as early as primary school or junior middle school in many countries. To meet the need for Chinese textbooks suitable for primary and junior middle school students, a project was begun by Hanban (Confucius Institute Headquarters), and we were entrusted with the work of compiling *Kuaile Hanyu*, a series of Chinese textbooks for junior middle school students in English-speaking countries.

Kuaile Hanyu covers three levels; each level includes a student's book, a teacher's book and a workbook. In addition, there are supplementary flash cards, wall charts and CDs. The editors have made every effort to creat materials suited to the psychological conditions and needs of students aged 11 to 16, as well as meeting the requirements of foreign language criteria of certain countries. *Kuaile Hanyu* focuses both on developing communicative competence in Chinese and also on motivating the learners, so that they can form a solid foundation for further Chinese study.

It is our hope that *Kuaile Hanyu* will increase every learner's interest in Chinese and make learning Chinese happy and easy rather than boring and difficult. We also hope that *Kuaile Hanyu* will help learners improve their Chinese, giving them a basis for understanding Chinese culture, and that our colleagues in other countries will enjoy using *Kuaile Hanyu* and thus form a stronger connection with us.

We wish great success to learners of the Chinese language.

Authors

July 14, 2003

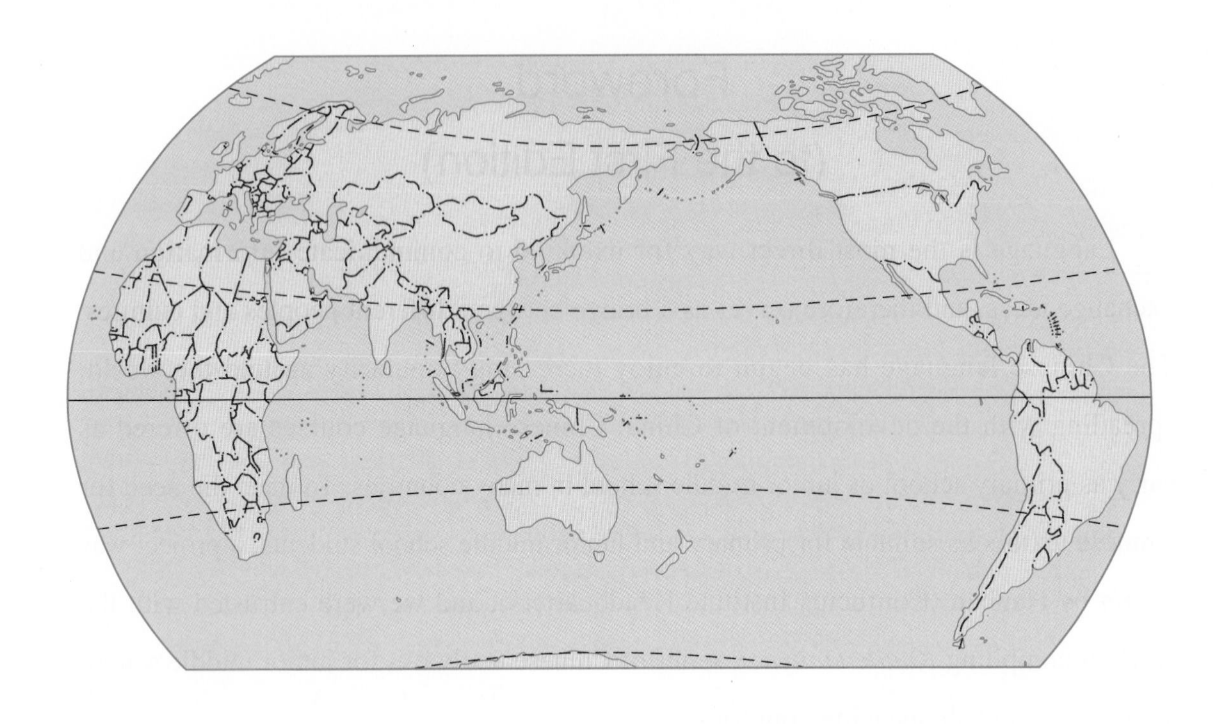

Xiǎohǎi
小海
Lìli
丽丽
Míngming
明明
Xiǎohóng
小红
Ann
Jim
Mary
Mike

普通话声母韵母拼合总表

Combinations of Initials and Finals

韵母/声母	a	o	e	-i [ɿ]	-i [ʅ]	er	ai	ei	ao	ou	an	en	ang	eng	ong	i	ia	iao	ie
	a	o	e			er	ai	ei	ao	ou	an	en	ang	eng		yi	ya	yao	ye
b	ba	bo					bai	bei	bao		ban	ben	bang	beng		bi		biao	bie
p	pa	po					pai	pei	pao	pou	pan	pen	pang	peng		pi		piao	pie
m	ma	mo	me				mai	mei	mao	mou	man	men	mang	meng		mi		miao	mie
f	fa	fo						fei		fou	fan	fen	fang	feng					
d	da		de				dai	dei	dao	dou	dan	den	dang	deng	dong	di	dia	diao	die
t	ta		te				tai		tao	tou	tan		tang	teng	tong	ti		tiao	tie
n	na		ne				nai	nei	nao	nou	nan	nen	nang	neng	nong	ni		niao	nie
l	la		le				lai	lei	lao	lou	lan		lang	leng	long	li	lia	liao	lie
g	ga		ge				gai	gei	gao	gou	gan	gen	gang	geng	gong				
k	ka		ke				kai	kei	kao	kou	kan	ken	kang	keng	kong				
h	ha		he				hai	hei	hao	hou	han	hen	hang	heng	hong				
j																ji	jia	jiao	jie
q																qi	qia	qiao	qie
x																xi	xia	xiao	xie
zh	zha		zhe		zhi		zhai	zhei	zhao	zhou	zhan	zhen	zhang	zheng	zhong				
ch	cha		che		chi		chai		chao	chou	chan	chen	chang	cheng	chong				
sh	sha		she		shi		shai	shei	shao	shou	shan	shen	shang	sheng					
r			re		ri				rao	rou	ran	ren	rang	reng	rong				
z	za		ze	zi			zai	zei	zao	zou	zan	zen	zang	zeng	zong				
c	ca		ce	ci			cai		cao	cou	can	cen	cang	ceng	cong				
s	sa		se	si			sai		sao	sou	san	sen	sang	seng	song				

（1）“知、蚩、诗、日、资、雌、思”等七个音节的韵母用 i，即：知、蚩、诗、日、资、雌、思等字拼作 zhi，chi，shi，ri，zi，ci，si。

（2）i 行的韵母，前面没有声母的时候，写成：yi（衣），ya（呀），ye（耶），yao（腰），you（忧），yan（烟），yin（因），yang（央），ying（英），yong（雍）。u 行的韵母，前面没有声母的时候，写成：wu（乌），wa（蛙），wo（窝），wai（歪），wei（威），wan（弯），wen（温），wang（汪），weng（翁）。ü 行的韵母，前

iou	ian	in	iang	ing	iong	u	ua	uo	uai	uei	uan	uen	uang	ueng	ü	üe	üan	ün
you	yan	yin	yang	ying	yong	wu	wa	wo	wai	wei	wan	wen	wang	weng	yu	yue	yuan	yun
	bian	bin		bing		bu												
	pian	pin		ping		pu												
miu	mian	min		ming		mu												
						fu												
diu	dian			ding		du		duo		dui	duan	dun						
	tian			ting		tu		tuo		tui	tuan	tun						
niu	nian	nin	niang	ning		nu		nuo			nuan				nü	nüe		
liu	lian	lin	liang	ling		lu		luo			luan	lun			lü	lüe		
						gu	gua	guo	guai	gui	guan	gun	guang					
						ku	kua	kuo	kuai	kui	kuan	kun	kuang					
						hu	hua	huo	huai	hui	huan	hun	huang					
jiu	jian	jin	jiang	jing	jiong										ju	jue	juan	jun
qiu	qian	qin	qiang	qing	qiong										qu	que	quan	qun
xiu	xian	xin	xiang	xing	xiong										xu	xue	xuan	xun
						zhu	zhua	zhuo	zhuai	zhui	zhuan	zhun	zhuang					
						chu	chua	chuo	chuai	chui	chuan	chun	chuang					
						shu	shua	shuo	shuai	shui	shuan	shun	shuang					
						ru	rua	ruo		rui	ruan	run						
						zu		zuo		zui	zuan	zun						
						cu		cuo		cui	cuan	cun						
						su		suo		sui	suan	sun						

面没有声母的时候，写成：yu（迂），yue（约），yuan（冤），yun（晕），ü 上两点省略；ü 行的韵母跟声母 j、q、x 拼的时候，写成：ju（居），qu（区），xu（虚），ü 上两点也省略；但是跟声母 n、l 拼的时候，仍然写成：nü（女），lü（吕）。

（3）iou、uei、uen 前面加声母的时候，写成：iu，ui，un。例如：niu（牛），gui（归），lun（论）。

（4）在给汉字注音的时候，为了使拼式简短，ng 可以省作 ŋ。

目 录 CONTENTS

第一单元 我和朋友 *Unit One My Friends and I*

第二单元 我的家 *Unit Two My Family*

第三单元 购 物 *Unit Three Shopping*

第四单元 学校生活 *Unit Four School Life*

第五单元 环境与健康 *Unit Five Environment and Health*

第六单元 时尚与娱乐 *Unit Six Fashion and Entertainment*

第七单元 媒 体 *Unit Seven Media*

第八单元 旅游与风俗 *Unit Eight Travel and Traditions*

Unit One My Friends and I
第一单元 我和朋友

第一课　他是谁

Learning Objectives

- Ask about someone's name.
- Talk about someone's hometown and his/her telephone number.

Nǐ jiào shénme míngzi?
你叫什么名字？

Wǒ jiào Mǎ Lìli.
我叫马丽丽。

Tā shì shéi?
他是谁？

Tā shì wǒ de péngyou.
他是我的朋友。

New Words

1. 姓 (xìng) to be surnamed
2. 名字 (míngzi) name
3. 多 (duō) many, much
4. 朋友 (péngyou) friend
5. 谁 (shéi) who
6. 欢迎 (huānyíng) to welcome
7. 地方 (dìfang) place
8. 国家 (guójiā) country, nation
9. 号码 (hàomǎ) number
10. 你们 (nǐmen) you
11. 他们 (tāmen) they, them

Sentence Patterns

1. 你姓什么？(Nǐ xìng shénme?)
2. 我姓马。(Wǒ xìng Mǎ.)
3. 你叫什么名字？(Nǐ jiào shénme míngzi?)
4. 我叫马丽丽。(Wǒ jiào Mǎ Lìli.)
5. 我有很多朋友。(Wǒ yǒu hěn duō péngyou.)
6. 他是谁？(Tā shì shéi?)

Using in Context

A: 你好。(Nǐ hǎo.)
B: 你好。(Nǐ hǎo.)

A: 你姓什么？(Nǐ xìng shénme?)
B: 我姓马。(Wǒ xìng Mǎ.)

A: 你叫什么名字？(Nǐ jiào shénme míngzi?)
B: 我叫马丽丽。(Wǒ jiào Mǎ Lìli.)

A: 他是谁？(Tā shì shéi?)
B: 他是我的朋友。(Tā shì wǒ de péngyou.)
我有很多朋友。(Wǒ yǒu hěn duō péngyou.)
A: 欢迎！你家在什么地方？(Huānyíng! Nǐ jiā zài shénme dìfang?)
C: 我家在香港。(Wǒ jiā zài Xiānggǎng.)

1. Number the words in the order that you hear.

shéi	péngyou	xìng	míngzi	dìfang	duō	huānyíng
who	friend	to be surnamed	name	place	many	to welcome
	①					

2. Listen and mark (√) the correct pictures.

1)

Lǐ Xiǎolóng
李小龙

2)

3)

Shànghǎi
上海

4)

3. Read aloud.

1) míngzi 名字	shénme míngzi 什么名字	nǐ de míngzi 你的名字	
2) péngyou 朋友	hǎo péngyou 好朋友	wǒ de péngyou 我的朋友	
3) duō 多	hěn duō 很多	hěn duō péngyou 很多朋友	
4) dìfang 地方	shénme dìfang 什么地方	hǎo dìfang 好地方	hěn duō dìfang 很多地方
5) guójiā 国家	shénme guójiā 什么国家	wǒ de guójiā 我的国家	hěn duō guójiā 很多国家
6) hàomǎ 号码	diànhuà hàomǎ 电话号码	fángjiān hàomǎ 房间号码	hěn duō hàomǎ 很多号码

4. Make dialogues according to the pictures below.

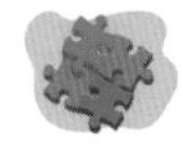

5. Match the Chinese questions with the English answers.

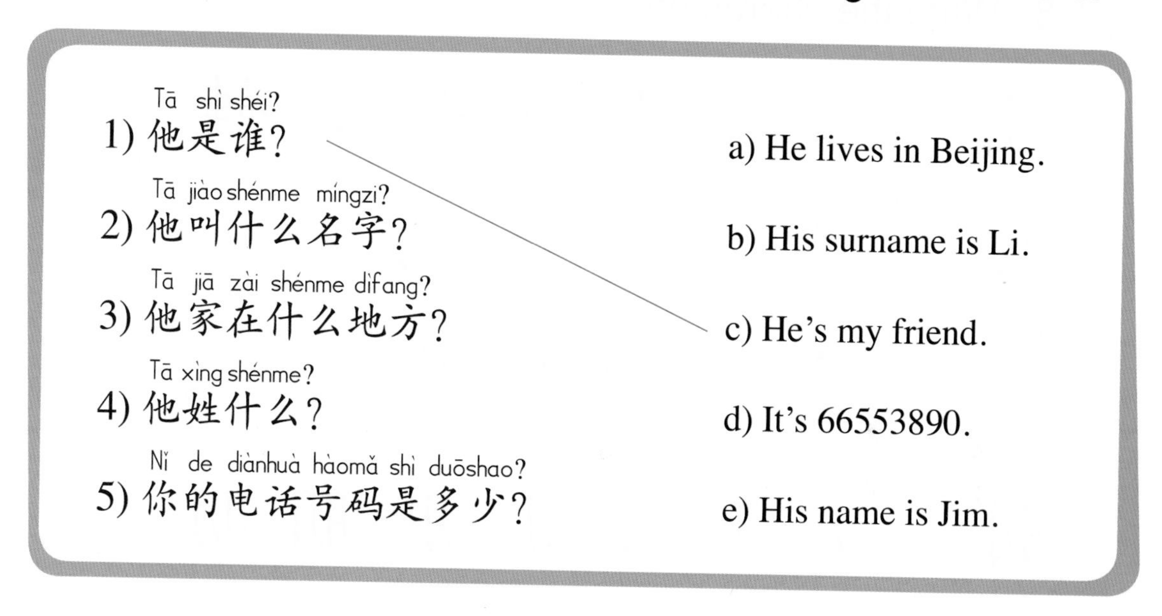

1) Tā shì shéi?
他是谁？

2) Tā jiào shénme míngzi?
他叫什么名字？

3) Tā jiā zài shénme dìfang?
他家在什么地方？

4) Tā xìng shénme?
他姓什么？

5) Nǐ de diànhuà hàomǎ shì duōshao?
你的电话号码是多少？

a) He lives in Beijing.

b) His surname is Li.

c) He's my friend.

d) It's 66553890.

e) His name is Jim.

6. Translate the following sentences.

1) Nǐmen hǎo! Wǒ xìng Mǎ, wǒ de míngzi jiào Mǎ Lìli. Wǒ shì xuéshēng.
你们好！我姓马，我的名字叫马丽丽。我是学生。

2) Wǒ jiā zài Běijīng, Běijīng shì yí gè hǎo dìfang. Huānyíng nǐmen qù wǒ jiā.
我家在北京，北京是一个好地方。欢迎你们去我家。

3) Wǒ yǒu hěn duō hǎopéngyou, wǒ xǐhuan tāmen.
我有很多好朋友，我喜欢他们。

4) Zhōngguó shì yí gè hěn dà de guójiā.
中国是一个很大的国家。

5) Wǒ de diànhuà hàomǎ shì wǔ wǔ sān líng bā qī wǔ.
我的电话号码是 5530875。

7. Practice your pronunciation.

Māma qí mǎ, mǎ màn, māma mà mǎ.
妈妈骑马，马慢，妈妈骂马。

Niūniu qiān niú, niú nìng, niūniu níng niú.
妞妞牵牛，牛拧，妞妞拧牛。

Mother rides a horse. The horse is slow. Mother scolds the horse.
Sister leads a cow. The cow is stubborn. Sister pinches the cow.

8. Write the characters.

姓

名

字

朋

友

第二课 她比我高

Learning Objectives

- Compare ages and heights.
- Talk about (language) ability.

New Words

1. 多 (duō) how (old, high, etc.)
2. 今年 (jīnnián) this year
3. 她 (tā) she, her
4. 比 (bǐ) than
5. 说 (shuō) to speak
6. 英语 (Yīngyǔ) English (language)
7. 汉语 (Hànyǔ) Chinese (language)
8. 谢谢 (xièxie) to thank
9. 法语 (Fǎyǔ) French (language)
10. 网友 (wǎngyǒu) e-pal
11. 年龄 (niánlíng) age
12. 高 (gāo) high, tall
13. 艺术 (yìshù) art

Sentence Patterns

1. Nǐ duō dà?
你多大？
2. Wǒ jīnnián shíliù suì.
我今年十六岁。
3. Tā bǐ wǒ dà.
她比我大。
4. Wǒ huì shuō Yīngyǔ.
我会说英语。
5. Nǐ de Hànyǔ hěn hǎo.
你的汉语很好。

Using in Context

1) A: Nǐ duō dà?
你多大？
B: Wǒ jīnnián shíliù suì.
我今年十六岁。
A: Nǐ de Hànyǔ hěn hǎo.
你的汉语很好。
B: Xièxie. Nǐ huì shuō Yīngyǔ ma?
谢谢。你会说英语吗？
A: Huì. Nǐ huì shuō Fǎyǔ ma?
会。你会说法语吗？
B: Bú huì.
不会。

2) Wǒ yǒu yí gè wǎngyǒu, tā jiào Xiǎohóng. Tā de niánlíng bǐ wǒ dà, tā yě bǐ wǒ gāo. Tā xǐhuan yìshù, tā xiǎng zuò huàjiā.
我有一个网友，她叫小红。她的年龄比我大，她也比我高。她喜欢艺术，她想做画家。

1. Number the words in the order that you hear.

bǐ 比	shuō 说	duō 多	xièxie 谢谢	Hànyǔ 汉语	gāo 高
				①	
jīnnián 今年	Yīngyǔ 英语	tā 她	yìshù 艺术	Fǎyǔ 法语	

2. Listen and mark (√) the correct pictures.

3. Read aloud.

1)	jīnnián 今年	jīntiān 今天	zuótiān 昨天	
2)	duō 多	duō dà 多大	duō gāo 多高	
3)	shuō 说	shuō Hànyǔ 说汉语	shuō Yīngyǔ 说英语	shuō Fǎyǔ 说法语
4)	bǐ 比	tā bǐ wǒ dà 她比我大	wǒ bǐ nǐ gāo 我比你高	
5)	wǎngyǒu 网友	yí gè wǎngyǒu 一个网友	hěn duō wǎngyǒu 很多网友	

4. Make dialogues according to the pictures below.

5. Match the Chinese with the English.

duō dà　duō gāo　jīntiān　jīnnián　shuō Hànyǔ　kàn Zhōngwén

1) 多大　2) 多高　3) 今天　4) 今年　5) 说汉语　6) 看中文

a) how high　b) speak Chinese　c) read Chinese　d) this year　e) today　f) how old

6. Translate the following sentences.

Wǒ jiào Mary, wǒ shì xuéshēng, wǒ jīnnián shísì suì.

1) 我叫Mary，我是学生，我今年十四岁。

Wǒ huì shuō Yīngyǔ, yě huì shuō Hànyǔ, wǒ yě xǐhuan yìshù.

2) 我会说英语，也会说汉语，我也喜欢艺术。

Mike bǐ Jim gāo, Mike bǐ Jim dà.

3) Mike比Jim高，Mike比Jim大。

Wǒ yǒu hěn duō guójiā de wǎngyǒu.

4) 我有很多国家的网友。

7. Write the characters.

多

年

说

比

高

第三课 我的一天

Learning Objectives

- Talk about daily routine.
- Invite someone to join an activity.

New Words

1. 每天 (měi tiān) every day
2. 起床 (qǐchuáng) to get up
3. 开始 (kāishǐ) to begin, to start
4. 时间表 (shíjiānbiǎo) timetable, schedule
5. 饭 (fàn) meal, dinner
6. 晚上 (wǎnshang) evening
7. 睡觉 (shuìjiào) to sleep
8. 早 (zǎo) early
9. 晚 (wǎn) late
10. 弟弟 (dìdi) younger brother
11. 妹妹 (mèimei) younger sister
12. 展览会 (zhǎnlǎnhuì) exhibition

Sentence Patterns

1. Wǒ měi tiān zǎoshang qī diǎn qǐchuáng.
   我每天早上七点起床。
2. Wǒ jiǔ diǎn kāishǐ shàngkè.
   我九点开始上课。
3. Wǒ xiǎng kàn diànyǐng.
   我想看电影。
4. Shéi qù?
   谁去？
5. Shéi yào hē kāfēi?
   谁要喝咖啡？

Using in Context

Zhè shì wǒ de shíjiānbiǎo.
这是我的时间表。

Wǒ měi tiān zǎoshang qī diǎn qǐchuáng, qī diǎn bàn chī fàn, bā diǎn kāishǐ shàngkè.
我每天早上七点起床，七点半吃饭，八点开始上课。

Wǎnshang qī diǎn qù túshūguǎn, shí diǎn bàn shuìjiào.
晚上七点去图书馆，十点半睡觉。

Jīntiān wǎnshang wǒ xiǎng kàn diànyǐng, shéi qù?
今天晚上我想看电影，谁去？

1. Number the pictures in the order that you hear.

2. Listen and mark (√) the correct pictures.

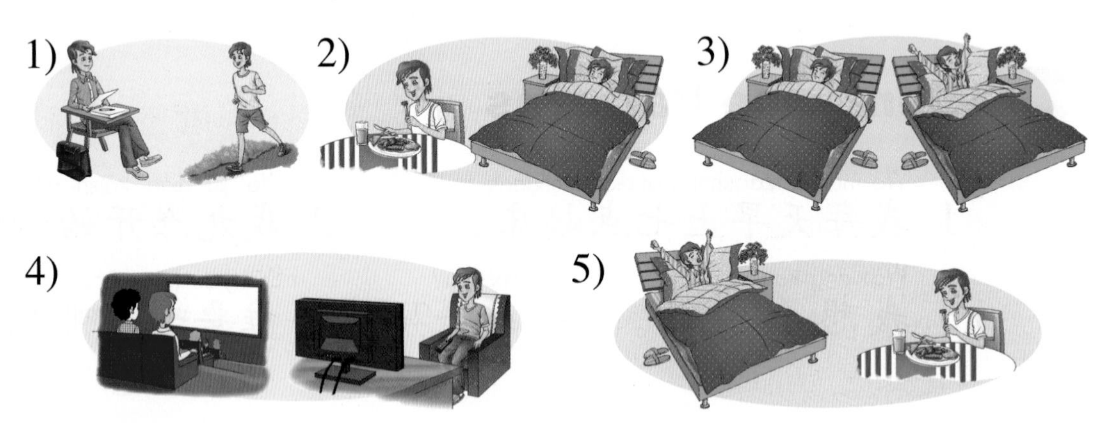

3. Read aloud.

zǎoshang　wǎnshang　hěn zǎo　hěn wǎn
1) 早上　晚上　很早　很晚

qǐchuáng　chī fàn　gōngzuò　yùndòng　shuìjiào
2) 起床　吃饭　工作　运动　睡觉

Shéi qù?　Shéi yào?　Shéi huì?
3) 谁去？　谁要？　谁会？

kàn diànyǐng　qù kàn diànyǐng　Shéi qù kàn diànyǐng?
4) 看电影　去看电影　谁去看电影？

hē kāfēi　yào hē kāfēi　Dìdi yào hē kāfēi.
5) 喝咖啡　要喝咖啡　弟弟要喝咖啡。

shuō Fǎyǔ　huì shuō Fǎyǔ　Mèimei huì shuō Fǎyǔ.
6) 说法语　会说法语　妹妹会说法语。

4. Describe your daily routine. Use the pictures to help you.

Zhè shì wǒ de shíjiānbiǎo. …
这是我的时间表。……

5. Match the sentences with the correct pictures.

Wǒ měi gè xīngqīwǔ qù kàn diànyǐng.
1) 我每个星期五去看电影。

Wǒ měi tiān wǎnshang jiǔ diǎn kàn diànshì.
2) 我每天晚上九点看电视。

Zhè shì wǒ de shíjiānbiǎo.
3) 这是我的时间表。

Zuótiān zǎoshang wǒ shí diǎn qǐchuáng.
4) 昨天早上我十点起床。

Zhǎnlǎnhuì shíyī diǎn kāishǐ.
5) 展览会十一点开始。

a)

b)

c)

d)

e)

6. Translate the following sentences.

Wǒ bàba zài yīyuàn gōngzuò, tā shì yīshēng.
1) 我爸爸在医院工作，他是医生。

Tā měi tiān zǎoshang liù diǎn bàn qǐchuáng, qī diǎn chī fàn.
2) 他每天早上六点半起床，七点吃饭。

Tā qī diǎn bàn zuò chē qù yīyuàn, bā diǎn kāishǐ gōngzuò.
3) 他七点半坐车去医院，八点开始工作。

Tā měi tiān wǎnshang kàn diànshì, hěn wǎn shuìjiào.
4) 他每天晚上看电视，很晚睡觉。

Wǒ bù xǐhuan hěn zǎo qǐchuáng.
5) 我不喜欢很早起床。

7. Write the characters.

Character
每
起
床
谁
饭

单元小结

1. 某人+姓+什么？叫+什么名字？	例句：你姓什么？叫什么名字？ 老师姓什么？叫什么名字？
2. 某人+姓+姓氏，某人+叫+姓名	例句：我姓马，我叫马丽丽。 老师姓Brown，他叫Jack Brown。
3. 某人+多+大？	例句：你多大？ 你哥哥多大？
4. 某人（+今年）+数字+岁	例句：我十六岁。 我哥哥今年二十四岁。
5. 某人+比+某人+大/小	例句：她比我大。 她姐姐比我姐姐小。
6. 某人+（不）会+说+某种语言	例句：我会说汉语。 我们不会说英语。
7. 某人+每天+时间词+动词（+名词）	例句：我每天早上七点起床。 我妈妈每天七点看电视。
8. 某人+时间词+开始+动词	例句：我九点开始上课。 爸爸八点开始工作。
9. 某人+想+动词+宾语	例句：我想看电影。 学生想去运动场。
10. 谁+动词（+词组）？	例句：谁去？ 谁喜欢你？ 谁喝咖啡？

After-School Activities

Chinese middle school students have after-school activities both in school and outside school. In-school activities are mostly related to sports, such as basketball or football, and specific fields of interest, such as painting or calligraphy, traditional opera or dance, model airplanes or natural science. Activities outside school range from community service to specialized classes in mathematics or physics.

Unit Two My Family
第二单元 我的家

第四课 我的房间

Learning Objectives

- Talk about a room's layout.
- Talk about a room's furnishings.

New Words

1. 里 (li) in, inside; at; on
2. 桌子 (zhuōzi) table
3. 椅子 (yǐzi) chair
4. 客厅 (kètīng) living room
5. 沙发 (shāfā) sofa, couch
6. 书架 (shūjià) bookshelf
7. 上 (shang) on
8. 书 (shū) book
9. 毛笔 (máobǐ) Chinese calligraphy brush
10. 床 (chuáng) bed
11. 灯 (dēng) lamp

Sentence Patterns

1. Nǐ de fángjiān li yǒu shénme?
你的房间里有什么？
2. Wǒ de fángjiān li yǒu zhuōzi、yǐzi.
我的房间里有桌子、椅子。
3. Kètīng li yǒu shāfā.
客厅里有沙发。
4. Shūjià shang yǒu shénme?
书架上有什么？
5. Shūjià shang yǒu hěn duō Zhōngwénshū, yě yǒu hěn duō Yīngwénshū.
书架上有很多中文书，也有很多英文书。

Using in Context

1) A: Fángjiān li yǒu shénme?
房间里有什么？
B: Fángjiān li yǒu zhuōzi、yǐzi.
房间里有桌子、椅子。
A: Zhuōzi shang yǒu shénme?
桌子上有什么？
B: Zhuōzi shang yǒu máobǐ.
桌子上有毛笔。
A: Shūjià shang yǒu shénme?
书架上有什么？
B: Shūjià shang yǒu hěn duō Zhōngwénshū.
书架上有很多中文书。

2) Gēge de fángjiān li yǒu chuáng、zhuōzi、diànnǎo.
哥哥的房间里有床、桌子、电脑。
Kètīng li yǒu shāfā、yǐzi、diànshì.
客厅里有沙发、椅子、电视。
Shūjià shang yǒu hěn duō Zhōngwénshū, yě yǒu hěn duō Yīngwénshū.
书架上有很多中文书，也有很多英文书。

1. Number the pictures and words in the order that you hear.

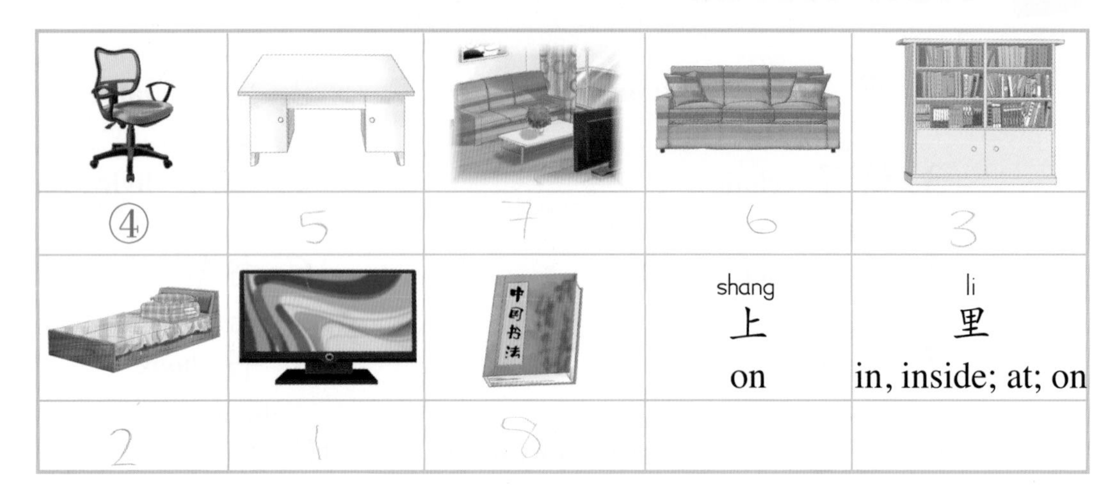

2. Listen and match the words with the objects.

3. Complete the dialogues according to the pictures below.

1) A： Zhè shì nǐ de fángjiān ma?
这是你的房间吗？

B： Zhè shì wǒ de fángjiān.
这是我的房间。

Wǒ de fángjiān li yǒu zhuōzi、 yǐzi.
我的房间里有桌子、椅子。

2) A： Nǐ de shūjià shang yǒu shénme shū?
你的书架上有什么书？

B： Shūjià shang yǒu hěn duō ________, wǒ xǐhuan Zhōngwén.
书架上有很多________，我喜欢中文。

3) A：你哥哥的房间里有什么？
Nǐ gēge de fángjiān li yǒu shénme?

B：______________。

4) A：沙发上有什么？
Shāfā shang yǒu shénme?

B：______________。

5) A：小红，______________？
Xiǎohóng,

B：__________，__________。

4. Match the Chinese with the English.

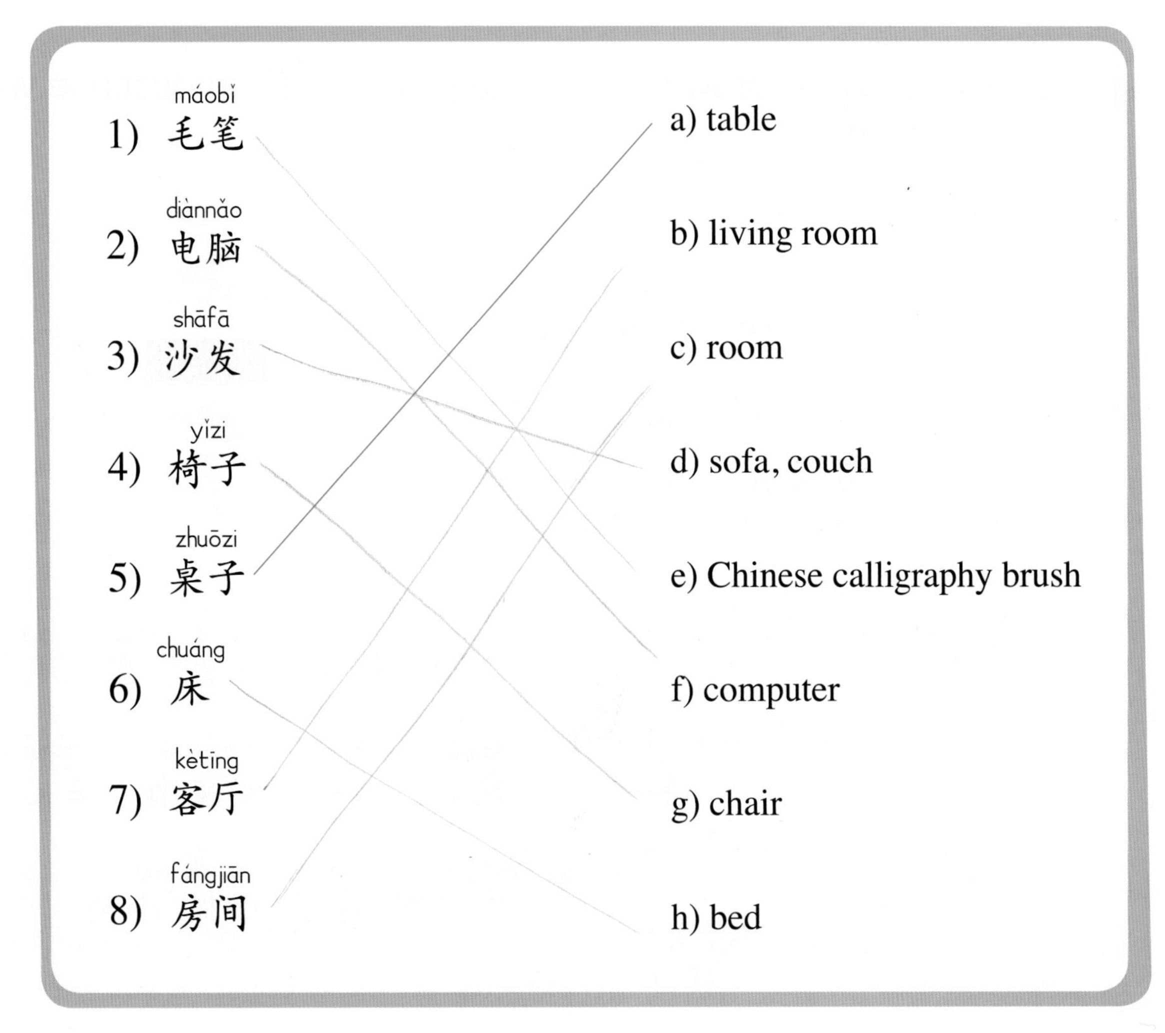

1) 毛笔 máobǐ
2) 电脑 diànnǎo
3) 沙发 shāfā
4) 椅子 yǐzi
5) 桌子 zhuōzi
6) 床 chuáng
7) 客厅 kètīng
8) 房间 fángjiān

a) table
b) living room
c) room
d) sofa, couch
e) Chinese calligraphy brush
f) computer
g) chair
h) bed

5. Translate the following sentences.

Zhè shì wǒ de fángjiān, wǒ de fángjiān li yǒu zhuōzi、 yǐzi.
1) 这是我的房间，我的房间里有桌子、椅子。

Wǒ fángjiān de zhuōzi shang yǒu máobǐ, nà shì Zhōngguó de máobǐ.
2) 我房间的桌子上有毛笔，那是中国的毛笔。

Kètīng li yǒu diànshì、 shāfā, shāfā shang yǒu yì zhī māo, wǒ māma xǐhuan xiǎo māo.
3) 客厅里有电视、沙发，沙发上有一只猫，我妈妈喜欢小猫。

Bàba de fángjiān li yǒu diànnǎo, tā de àihào shì shàngwǎng.
4) 爸爸的房间里有电脑，他的爱好是上网。

Shūjià shang yǒu hěn duō Zhōngwénshū, wǒ xǐhuan Zhōngwén.
5) 书架上有很多中文书，我喜欢中文。

6. Choose and draw items in the pictures. Then describe what you drew.

zhuōzi 桌子　yǐzi 椅子　diànshì 电视　jiàoshī 教师

nán xuésheng 男学生　nǚ xuésheng 女学生

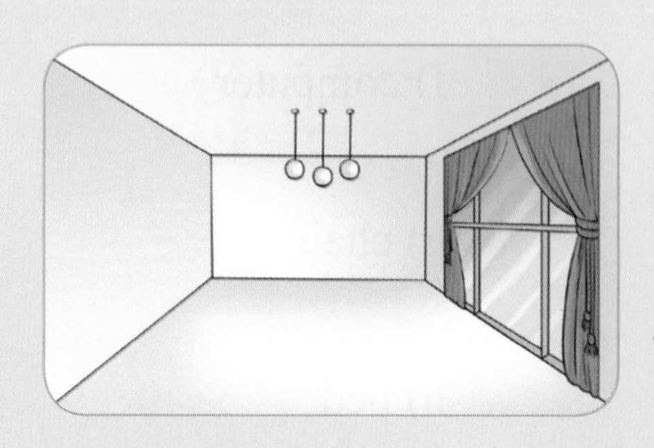

zhuōzi 桌子　yǐzi 椅子　shāfā 沙发　chuáng 床　diànshì 电视

diànnǎo 电脑　shūjià 书架　Yīngwénshū 英文书　Fǎwénshū 法文书

Zhōngwénshū 中文书　máobǐ 毛笔　xiǎo māo 小猫　xiǎo gǒu 小狗

7. Practice your pronunciation.

Shuǐ hé Tiān
水和天

Water and Sky

Tiān lián shuǐ, shuǐ lián tiān,
天连水，水连天，
Shuǐ tiān yí sè wàng wúbiān.
水天一色望无边。
Dàodǐ shì tiān lián shuǐ,
到底是天连水，
Háishi shuǐ lián tiān?
还是水连天？

Sky meets water; water meets sky.
Sky, water–the same endless colour.
At what point does sky meet water,
Or water meet sky?

8. Write the characters.

里	丨	冂	日	日	甲	甲	里
间	丶	丨	门	门	间	间	间
沙	丶	丶	氵	氵	沙	沙	沙
发	𠂆	䒑	岁	发	发		
的	丿	亻	白	白	白	的	的	的

第五课 客厅在南边

Learning Objectives

- Ask about a room's location.
- Describe a room's location.

New Words

1. 卫生间 wèishēngjiān **bathroom**
2. 对面 duìmiàn **opposite**
3. 南边 nánbian **south**
4. 饭厅 fàntīng **dining room**
5. 卧室 wòshì **bedroom**
6. 东边 dōngbian **east**
7. 门 mén **door**
8. 做饭 zuò fàn **cook**

Sentence Patterns

1. Wèishēngjiān zài nǎr?
   卫生间在哪儿？
2. Wèishēngjiān zài kètīng duìmiàn.
   卫生间在客厅对面。
3. Kètīng zài nánbian.
   客厅在南边。
4. Fàntīng zài kètīng pángbiān.
   饭厅在客厅旁边。
5. Nà shì bàba māma de wòshì.
   那是爸爸妈妈的卧室。

Using in Context

1) A: Wòshì zài nǎr?
   卧室在哪儿？
   B: Wòshì zài dōngbian.
   卧室在东边。
   A: Kètīng zài nǎr?
   客厅在哪儿？
   B: Kètīng zài nánbian.
   客厅在南边。
   A: Wèishēngjiān zài nǎr?
   卫生间在哪儿？
   B: Wèishēngjiān zài kètīng duìmiàn.
   卫生间在客厅对面。

2) Zhè shì wǒ de jiā. Wǒ jiā bù hěn dà, yǒu wǔ gè fángjiān. Kètīng zài dōngbian, wòshì zài nánbian. Zhè shì wǒ de wòshì, nà shì bàba māma de wòshì. Fàntīng zài kètīng pángbiān, wèishēngjiān zài kètīng duìmiàn.
   这是我的家。我家不很大，有五个房间。客厅在东边，卧室在南边。这是我的卧室，那是爸爸妈妈的卧室。饭厅在客厅旁边，卫生间在客厅对面。

1. Number the pictures and words in the order that you hear.

dōngbian 东边 (east)	nánbian 南边 (south)	duìmiàn 对面 (opposite)	qiánbian 前边 (in front of)
	①		

2. Listen and mark (√) what you hear.

东边 dōngbian					
南边 nánbian	√				
对面 duìmiàn					
后边 hòubian					

3. Match the characters with the *pinyin*.

1) 卫生间	(⑨)	① fàntīng
2) 饭厅	( )	② kètīng
3) 卧室	( )	③ mén
4) 厨房	( )	④ dōngbian
5) 客厅	( )	⑤ zuò fàn
6) 门	( )	⑥ nánbian
7) 东边	( )	⑦ chúfáng
8) 南边	( )	⑧ wòshì
9) 做饭	( )	⑨ wèishēngjiān

4. Complete the dialogues according to the pictures below.

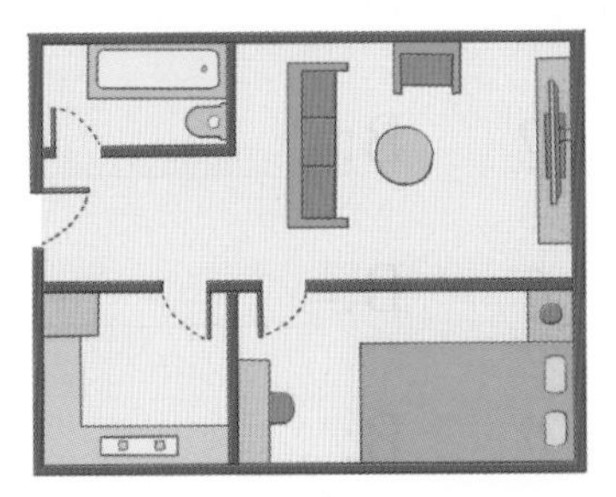

东

南

Wòshì zài nǎr?
1) A: 卧室在哪儿？
Wòshì zài nánbian.
B: 卧室在南边。

Fàntīng zài nǎr?
2) A: 饭厅在哪儿？
Fàntīng zài duìmiàn.
B: 饭厅在对面。
Wèishēngjiān zài nǎr?
A: 卫生间在哪儿？
Wèishēngjiān zài kètīng pángbiān.
B: 卫生间在客厅旁边。

Zhè shì nǐ de wòshì ma?
3) A: 这是你的卧室吗？
Zhè shì wǒ de wòshì.
B: 这是我的卧室。
Nǐ bàba māma de wòshì
A: 你爸爸妈妈的卧室______？

B: ______________________。

Nǐ māma zài jiā ma?
4) A: 你妈妈在家吗？
Wǒ māma zài zuò fàn.
B: 我妈妈在______做饭。
Chúfáng zài nǎr?
A: 厨房在哪儿？

B: ______________________。

Wèishēngjiān
5) A: 卫生间______________？

B: ______________________。

6) A: Xiǎohóng, nǐ de fángjiān zài nǎr? 小红，你的房间在哪儿？ B: ________。

A: Xiǎohǎi de 小海的________? B: ________。

A: Lìli de 丽丽的________? B: ________。

A: Wèishēngjiān 卫生间________? B: ________。

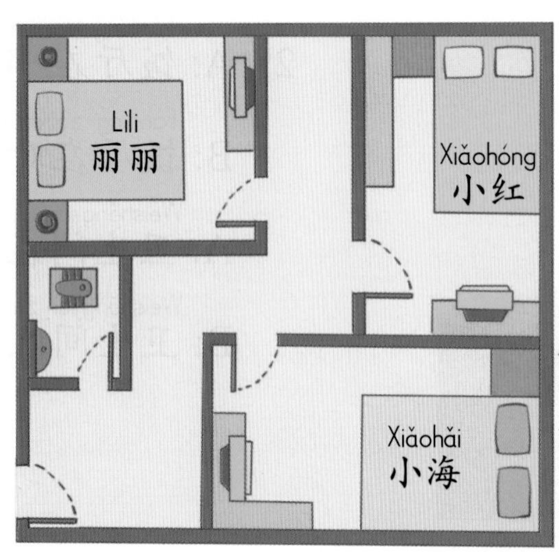

5. Match the Chinese with the English.

1) wǒ de wòshì 我的卧室	a) kitchen of Ann's home
2) wǒ jiā de kètīng 我家的客厅	b) my bedroom
3) Ann jiā de chúfáng Ann家的厨房	c) go to the bathroom
4) qù wèishēngjiān 去卫生间	d) cook at the kitchen
5) zài fàntīng duìmiàn 在饭厅对面	e) opposite the dining room
6) zài chúfáng zuò fàn 在厨房做饭	f) living room of my home

6. Translate the following sentences.

Zhè shì wǒ jiā de kètīng, fàntīng zài kètīng duìmiàn.
1) 这是我家的客厅，饭厅在客厅对面。

Chúfáng zài dōngbian, wǒ zài chúfáng hē chá.
2) 厨房在东边，我在厨房喝茶。

Wèishēngjiān zài nánbian, wǎng qián zǒu.
3) 卫生间在南边，往前走。

Wǒ de wòshì zài zuǒbian, gēge de wòshì zài yòubian.
4) 我的卧室在左边，哥哥的卧室在右边。

Chúfáng zài kètīng duìmiàn, māma zài chúfáng zuò fàn.
5) 厨房在客厅对面，妈妈在厨房做饭。

7. Write the characters.

第六课　你家的花园真漂亮

Learning Objectives

- Talk about a home and its surroundings.
- Talk about a library.
- Practice using the measure word “*ben* (本)”.

New Words

1. huāyuán 花园 garden
2. piàoliang 漂亮 beautiful
3. huā 花 flower
4. shūzhuō 书桌 desk
5. gānjìng 干净 clean
6. zhēn 真 really
7. zázhì 杂志 magazine
8. zhěngqí 整齐 tidy, neat
9. ānjìng 安静 to be quiet; quiet
10. jiājù 家具 furniture
11. nǐmen de 你们的 your; yours
12. běn 本 (a measure word for books)

Sentence Patterns

1. Nǐ jiā de huāyuán zhēn piàoliang!
你家的花园真漂亮!
2. Wǒ jiā de huāyuán li yǒu hěn duō huā.
我家的花园里有很多花。
3. Wǒ bàba māma xǐhuan huā.
我爸爸妈妈喜欢花。
4. Wǒ de shūzhuō hěn gānjìng.
我的书桌很干净。
5. Jiějie de shūjià shang yǒu hěn duō Zhōngwénshū.
姐姐的书架上有很多中文书。

Using in Context

1) A: Nǐ jiā de huāyuán li yǒu hěn duō huā!
你家的花园里有很多花!
B: Wǒ bàba māma xǐhuan huā.
我爸爸妈妈喜欢花。
A: Nǐ jiā de huāyuán zhēn piàoliang!
你家的花园真漂亮!
B: Xièxie!
谢谢!

Zhè shì wǒ de fángjiān. Wǒ de fángjiān li yǒu chuáng、 shūzhuō、 yǐzi、
2) 这是我的房间。我的房间里有床、书桌、椅子、

shūjià. Shūzhuō shang yǒu diànnǎo. Shūjià shang yǒu hěn duō shū hé zázhì.
书架。书桌上有电脑。书架上有很多书和杂志。

Wǒ de shūjià hěn zhěngqí. Wǒ de fángjiān hěn gānjìng, yě hěn ānjìng.
我的书架很整齐。我的房间很干净，也很安静。

Wǒ xǐhuan wǒ de fángjiān.
我喜欢我的房间。

1. Number the pictures and words in the order that you hear.

	①		
gānjìng 干净 **(clean)**	piàoliang 漂亮 **(beautiful)**	zhěngqí 整齐 **(tidy, neat)**	zhēn 真 **(really)**

2. Listen and mark each sentence with √ or ×.

Wǒ jiā de huāyuán li yǒu hěn duō huā.
1) ① 我家的花园里有很多花。 (√)

Wǒ jiā de kètīng li yǒu hěn duō huā.
② 我家的客厅里有很多花。 (×)

Shūzhuō shang yǒu hěn duō shū.
2) ① 书桌上有很多书。 (   )

Shūjià shang yǒu hěn duō shū.
② 书架上有很多书。 (   )

Gēge de fángjiān li yǒu diànshì.
3) ① 哥哥的房间里有电视。 (   )

Bàba de fángjiān li yǒu diànshì.
② 爸爸的房间里有电视。 (   )

4) ① Bàba māma de wòshì li yǒu hěn duō jiājù.
爸爸妈妈的卧室里有很多家具。（ ）

② Wǒ jiějie de wòshì li yǒu hěn duō jiājù.
我姐姐的卧室里有很多家具。（ ）

5) ① Nǐ jiā zhēn piàoliang.
你家真漂亮。（ ）

② Nǐ jiā zhēn gānjìng.
你家真干净。（ ）

3. Read aloud.

1) jiājù 家具　shūjià 书架　zhuōzi 桌子　yǐzi 椅子　shūzhuō 书桌　chuáng 床

2) fángjiān zhěngqí 房间整齐　kètīng zhěngqí 客厅整齐　shūzhuō zhěngqí 书桌整齐

3) jiājù zhēn gānjìng 家具真干净　wòshì zhēn gānjìng 卧室真干净　wèishēngjiān zhēn gānjìng 卫生间真干净

4) jiàoshì zhēn ānjìng 教室真安静　túshūguǎn zhēn ānjìng 图书馆真安静　yīyuàn zhēn ānjìng 医院真安静

5) nǐmen de xuéxiào zhēn piàoliang 你们的学校真漂亮　nǐ jiā de huāyuán zhēn piàoliang 你家的花园真漂亮

6) shūjià shang yǒu wǔ běn zázhì 书架上有五本杂志　zhuōzi shang yǒu sān běn shū 桌子上有三本书

4. Complete the dialogues according to the pictures below.

1) A: Zhè shì wǒ de shūjià.
这是我的书架。

B: Nǐ de shūjià zhēn zhěngqí!
你的书架真整齐！

Nǐ yǒu jǐ běn shū?
2) A: 你有几本书？

Wǒ yǒu　nǐ yǒu jǐ běn zázhì?
B: 我有______，你有几本杂志？

Wǒ yǒu
A: 我有______________________。

Zhè shì wǒ jiā de huāyuán.
3) A: 这是我家的花园。

Nǐ jiā de huāyuán zhēn piàoliang!
B: 你家的花园真漂亮！

Xièxie! Wǒ bàba māma xǐhuan huā.
A: 谢谢！我爸爸妈妈喜欢花。

Zhè shì wǒ de
4) A: 这是我的____________。

Nǐ de
B: 你的________________！

Xièxie!
A: 谢谢！______________。

Nǐmen xuéxiào de túshūguǎn zhēn dà!
5) A: 你们学校的图书馆真大！

Shì, nǐmen de túshūguǎn yě hěn
B: 是，你们的图书馆也很______。

Túshūguǎn de shū zhēn duō!
A: 图书馆的书真多！

Shūjià shang de shū hěn
B: 书架上的书很____________。

6) A: ________________。

B: ________________！

Wǒ
A: ______！我__________。

5. Match the Chinese with the English.

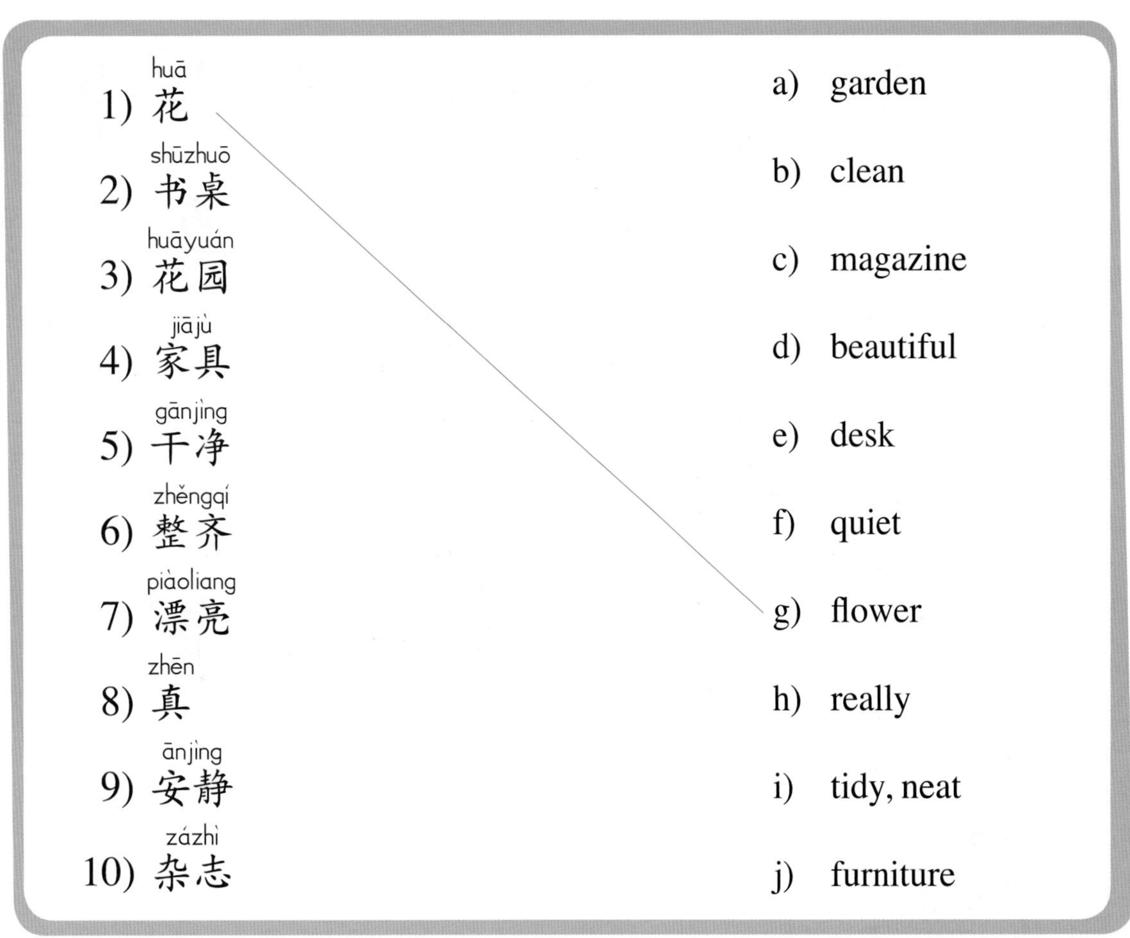

1) huā 花	a) garden
2) shūzhuō 书桌	b) clean
3) huāyuán 花园	c) magazine
4) jiājù 家具	d) beautiful
5) gānjìng 干净	e) desk
6) zhěngqí 整齐	f) quiet
7) piàoliang 漂亮	g) flower
8) zhēn 真	h) really
9) ānjìng 安静	i) tidy, neat
10) zázhì 杂志	j) furniture

6. Translate the following sentences.

1) Zhè shì wǒmen de xuéxiào. Wǒmen de xuéxiào hěn dà, hěn gānjìng.
这是我们的学校。我们的学校很大，很干净。

2) Wǒ de shūjià shang yǒu hěn duō shū. Wǒ de shūjià hěn zhěngqí.
我的书架上有很多书。我的书架很整齐。

3) Xiǎohǎi, zhè shì nǐ jiā de huāyuán ma? Nǐ jiā de huāyuán zhēn piàoliang!
小海，这是你家的花园吗？你家的花园真漂亮！

4) Zhè shì wǒmen xuéxiào de túshūguǎn.
这是我们学校的图书馆。

5) Zhuōzi shang yǒu wǔ běn shū, yì běn zázhì.
桌子上有五本书，一本杂志。

6) Wǒmen jiā yǒu hěn duō jiājù. Wǒmen jiā de jiājù hěn gānjìng, yě hěn piàoliang.
我们家有很多家具。我们家的家具很干净，也很漂亮。
Wǒ xǐhuan wǒmen jiā.
我喜欢我们家。

 7. Write the characters.

桌								卓		桌
真	一	十						直		真
花	一	十	艹				花			
干	一	二	干							
净	丶	冫						净		

单元小结

1. 某处所＋里＋有＋什么？	例句：客厅里有什么？ 你哥哥的房间里有什么？
2. 某处所＋里＋有＋某物	例句：客厅里有沙发。 我家的花园里有很多花。 我的房间里有椅子、桌子。
3. 某物＋上＋有＋什么？	例句：桌子上有什么？ 沙发上有什么？ 书架上有什么？
4. 名词＋上＋有＋某物	例句：桌子上有电视。 沙发上有一只猫。 书架上有很多中文书。
5. 某处所＋在＋哪儿？	例句：卧室在哪儿？ 卫生间在哪儿？
6. 某处所＋在＋方位词	例句：卧室在东边，客厅在南边。 饭厅在旁边，卫生间在饭厅对面。
7. 这/那＋是＋某人＋的＋某处	例句：这是我的房间。 那是爸爸妈妈的卧室。
8. 某人＋喜欢＋宾语	例句：我喜欢中文书。 爸爸妈妈喜欢花。
9. 某处所＋真＋形容词	例句：你们家真干净！ 他的书架真整齐！ 你家的花园真漂亮！

Siheyuan, a Traditional Chinese Home

Most traditional Chinese residences follow the pattern of the *siheyuan*, a square structure with a courtyard in the centre. In the *siheyuan*, the main room faces south and the wings are set symmetrically on each side of the central axis. Smaller rooms are attached to each side of the main room. The courtyard in the centre is usually paved with bricks, but with areas set aside for flowers and trees, giving the courtyard a peaceful atmosphere. Beijing's *siheyuan* are some of the most typical courtyard residences.

Unit Three Shopping
第三单元 购物

第七课 你买什么

Learning Objectives

- Ask about what someone needs to buy.
- Talk about what you need to buy.
- Practice using the measure words "*jin* (斤)" and "*ping* (瓶)".

Wǒ yào mǎi …

我要买……

diǎnxin 点心	yì jīn 一斤
píngguǒ 苹果	liǎng jīn 两斤
jīdàn 鸡蛋	liù gè 六个
niúnǎi 牛奶	sān píng 三瓶
shuǐ 水	wǔ píng 五瓶

New Words

1. mǎi 买 to buy
2. hé 和 and
3. diǎnxin 点心 snacks, light refreshments, pastries
4. hái 还 also, else
5. yào 要 to want
6. píng 瓶 a bottle of
7. jīn 斤 a half kilo (unit of weight)
8. dōngxi 东西 thing
9. shuǐ 水 water
10. jiǔ 酒 wine
11. dàngāo 蛋糕 cake

Sentence Patterns

1. Nǐ mǎi shénme? 你买什么？
2. Wǒ mǎi jīdàn hé diǎnxin. 我买鸡蛋和点心。
3. Nǐ hái yào shénme? 你还要什么？
4. Wǒ hái yào yì píng niúnǎi、liǎng jīn píngguǒ. 我还要一瓶牛奶、两斤苹果。
5. Wǒ xiǎng mǎi hěn duō dōngxi. 我想买很多东西。

Using in Context

1) A: Nǐ mǎi shénme? 你买什么？ B: Wǒ mǎi diǎnxin. 我买点心。

A: Nǐ mǎi jǐ jīn? 你买几斤？ B: Wǒ mǎi yì jīn. 我买一斤。

A: Nǐ hái yào shénme? 你还要什么？ B: Wǒ hái yào yì píng shuǐ hé liǎng píng niúnǎi. 我还要一瓶水和两瓶牛奶。

2) Jīntiān shì xīngqīliù, wǒ yào mǎi hěn duō dōngxi. Wǒ yào mǎi wǔ píng shuǐ、sān píng niúnǎi, hái yào mǎi liù gè jīdàn、liǎng jīn píngguǒ hé yì jīn diǎnxin.

今天是星期六，我要买很多东西。我要买五瓶水、三瓶牛奶，还要买六个鸡蛋、两斤苹果和一斤点心。

1. Number the pictures in the order that you hear.

2. Listen and choose.

Xiǎohǎi xiǎng mǎi shénme?
小海想买什么？

shuǐ 水	qìshuǐ 汽水	niúnǎi 牛奶	niúròu 牛肉	píngguǒ 苹果	diǎnxin 点心	miàntiáor 面条儿

3. Read aloud.

yì píng shuǐ
一瓶水

liǎng píng niúnǎi
两瓶牛奶

sān píng jiǔ
三瓶酒

sān jīn diǎnxin
三斤点心

sì jīn píngguǒ
四斤苹果

yí gè dàngāo
一个蛋糕

mǎi dōngxi
买东西

mǎi hěn duō dōngxi
买很多东西

yào mǎi hěn duō dōngxi
要买很多东西

nǐ hé wǒ
你和我

nán xuésheng hé nǚ xuésheng
男学生和女学生

shuǐguǒ hé diǎnxin
水果和点心

Wǒ yào mǎi dàngāo, hái yào mǎi niúnǎi hé qìshuǐ.
我要买蛋糕，还要买牛奶和汽水。

Nǐ mǎi jǐ píng?
你买几瓶？

Wǒ mǎi liǎng píng.
我买两瓶。

4. Complete the dialogues according to the pictures below.

5. Match the Chinese with the English.

1) Tā yǒu yì zhī xiǎomāo. 他有一只小猫。	a) There are ten students and three teachers in my class.
2) Wǒmen bān yǒu shí gè xuéshēng hé sān gè jiàoshī. 我们班有十个学生和三个教师。	b) He has a little cat.
3) Wǒ mǎi yì píng guǒzhī hé yì jīn niúròu. 我买一瓶果汁和一斤牛肉。	c) I want to buy a bottle of juice and a half kilo of beef.

4) Nǐ hái yào mǎi shénme? 你还要买什么？	d) What else do you want to buy?
5) Bàba yào mǎi liǎng píng jiǔ. 爸爸要买两瓶酒。	e) I want half a kilo of apples and half a kilo of pastries.
6) Wǒ yào yì jīn píngguǒ, 我要一斤苹果， hái yào yì jīn diǎnxin. 还要一斤点心。	f) Dad wants to buy two bottles of wine.

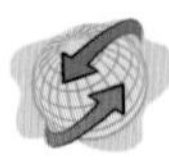

6. Translate the following sentences.

1) Wǒ xiǎng mǎi dōngxi, wǒ xiǎng mǎi hěn duō dōngxi!
我想买东西，我想买很多东西！

2) Wǒ yào mǎi liǎng píng guǒzhī hé yì píng qìshuǐ, nǐ mǎi shénme?
我要买两瓶果汁和一瓶汽水，你买什么？

3) Wǒmen mǎi píngguǒ, wǒ yào yì jīn, tā yào liǎng jīn.
我们买苹果，我要一斤，他要两斤。

4) Zhuōzi shang yǒu shuǐguǒ hé diǎnxin, hái yǒu yì píng shuǐ hé liǎng gè jīdàn.
桌子上有水果和点心，还有一瓶水和两个鸡蛋。

5) Tā yǒu sān zhī xiǎomāo. Xiǎomāo xǐhuan niúnǎi, hái xǐhuan yú.
他有三只小猫。小猫喜欢牛奶，还喜欢鱼。

6) Tā yào mǎi yí gè dàngāo, hái yào mǎi sān píng jiǔ hé sān jīn niúròu.
他要买一个蛋糕，还要买三瓶酒和三斤牛肉。

7. Practice your pronunciation.

Shānyáng shàng shān, shān pèng shānyáng jiǎo,
山 羊 上 山，山 碰 山 羊 角，

Shuǐniú xià shuǐ, shuǐ mò shuǐniú yāo.
水 牛 下 水，水 没 水 牛 腰。

The goat climbs the mountain, and the mountain bumps into its horns.
The water buffalo goes into the water, and the water rises up to its waist.

8. Write the characters.

买

斤

西

和

还

第八课 苹果多少钱一斤

Learning Objectives

- Ask about prices.
- Talk about prices.
- Learn about Chinese currency.

Píngguǒ duōshao qián yì jīn?
苹果多少钱一斤？

¥4.29

¥5.30

Sì kuài liǎng máo jiǔ yì jīn.
四块两毛九一斤。

Wǒ yào yì jīn bàn, yígòng duōshao qián?
我要一斤半，一共多少钱？

New Words

1. duōshao 多少 how many, how much
2. qián 钱 money
3. kuài (yuán) 块（元） yuan
4. máo (jiǎo) 毛（角） ten cents (0.10 yuan)
5. yígòng 一共 altogether, in all
6. zhūròu 猪肉 pork
7. jī 鸡 chicken
8. líng 零 used in expressions of time, age, weight, etc. between two different denominations
9. fēn 分 cent (0.01 yuan)
10. qīngcài 青菜 vegetables
11. ròu 肉 meat

Sentence Patterns

1. Píngguǒ duōshao qián yì jīn? 苹果多少钱一斤？
2. Píngguǒ sì kuài liǎng máo jiǔ yì jīn. 苹果四块两毛九一斤。
3. Nǐ mǎi duōshao? 你买多少？
4. Wǒ yào yì jīn bàn. 我要一斤半。
5. Yígòng duōshao qián? 一共多少钱？

Using in Context

1) A: Qǐngwèn, píngguǒ duōshao qián yì jīn? 请问，苹果多少钱一斤？

B: Sì kuài èr yì jīn. 四块二一斤。

A: Wǒ yào yì jīn bàn. 我要一斤半。

2) A: Wǒ yào bàn jīn zhūròu. 我要半斤猪肉。

B: Nǐ hái yào shénme? 你还要什么？

A: Wǒ hái yào yì zhī jī, yígòng duōshao qián? 我还要一只鸡，一共多少钱？

B: Yígòng èrshísān kuài líng liù fēn. 一共二十三块零六分。

1. Mark (√) the words you hear.

1) zhūròu 猪肉______
niúròu 牛肉______

2) jī 鸡______
jīdàn 鸡蛋______

3) shí kuài yì píng 十块一瓶______
shí kuài yì jīn 十块一斤______

4) yì jīn 一斤______
yì jīn bàn 一斤半______

5) hěn duō qián 很多钱______
duōshao qián 多少钱______

2. Listen and choose.

1) sì jīn 四斤	sì jīn bàn 四斤半	shí jīn bàn 十斤半
2) ¥6.00	¥1.35	¥6.35

3. Read aloud.

bàn jīn 半斤　bàn píng 半瓶　bàn gè 半个　bàn zhī 半只

yì jīn bàn 一斤半　liǎng nián bàn 两年半　sān suì bàn 三岁半　sì diǎn bàn 四点半　wǔ tiān bàn 五天半

liù jīn qīngcài 六斤青菜　qī píng shuǐ 七瓶水　bā zhī xiǎomāo 八只小猫　jiǔ gè fángjiān 九个房间　shí gè péngyou 十个朋友

duōshao qián yì jīn 多少钱一斤　duōshao qián yí gè 多少钱一个　duōshao qián yì píng 多少钱一瓶　duōshao qián yì zhī 多少钱一只

ròu duōshao qián yì jīn 肉多少钱一斤　dàngāo duōshao qián yí gè 蛋糕多少钱一个　jiǔ duōshao qián yì píng 酒多少钱一瓶

yígòng wǔ kuài 一共五块　yígòng jiǔ kuài bā máo 一共九块八毛　yígòng shí'èr kuài liù máo bā fēn 一共十二块六毛八分

yígòng èrshí kuài líng wǔ fēn 一共二十块零五分

4. Complete the dialogues according to the pictures below.

(¥2.50 × 3 = ¥7.50)

(¥8.99/500g)

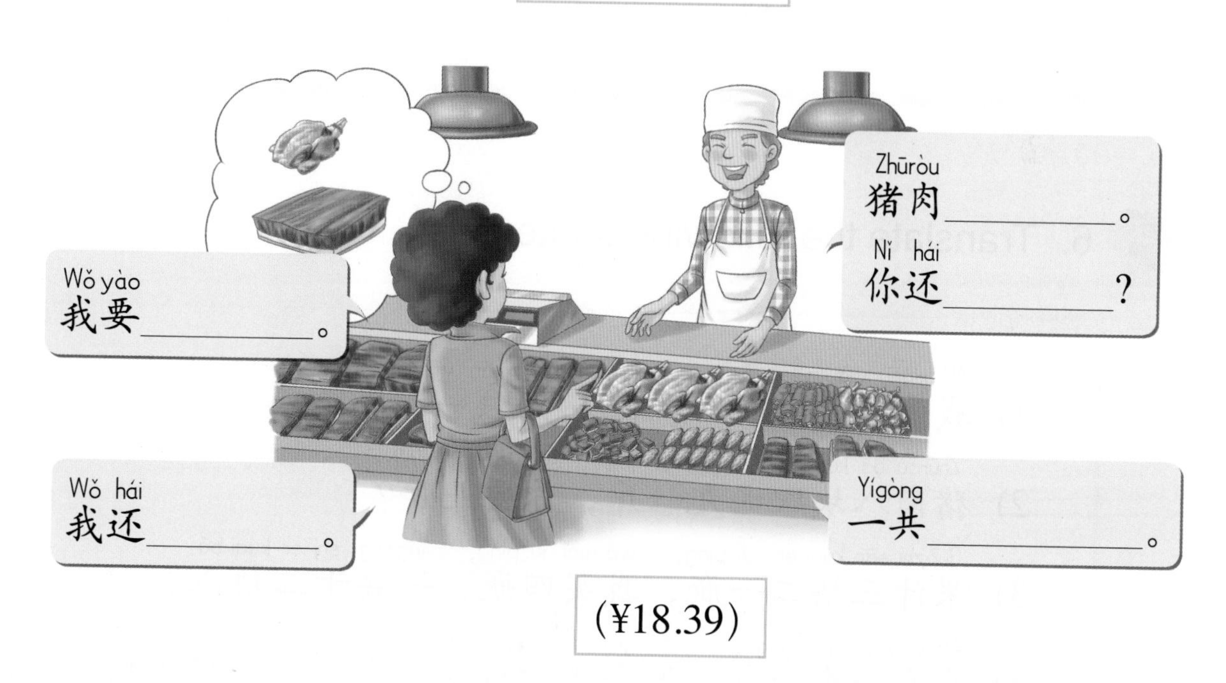

(¥18.39)

5. Match the Chinese with the English.

1) Niúnǎi duōshao qián yì píng?
牛奶多少钱一瓶？

2) Nǐ mǎi duōshao?
你买多少？

3) Nǐ hái yào shénme?
你还要什么？

4) Liǎng jīn bàn niúròu hé yì zhī jī.
两斤半牛肉和一只鸡。

5) Yígòng duōshao qián?
一共多少钱？

6) Yígòng shíqī kuài liù máo èr.
一共十七块六毛二。

7) Wǒ yào qīngcài hé ròu.
我要青菜和肉。

a) How many do you want to buy?

b) What else would you like?

c) How much is a bottle of milk?

d) How much is it altogether?

e) I want vegetables and meat.

f) Seventeen yuan and sixty two cents altogether.

g) Two and a half *jin* of beef and one chicken.

6. Translate the following sentences.

1) Wǒ xiǎng mǎi píngguǒ, píngguǒ duōshao qián yì jīn?
我想买苹果，苹果多少钱一斤？

2) Zhūròu bā kuài sì máo jiǔ yì jīn, nǐ yào jǐ jīn?
猪肉八块四毛九一斤，你要几斤？

3) Guǒzhī sān kuài èr yì píng, wǒ mǎi sì píng, yígòng shí'èr kuài bā.
果汁三块二一瓶，我买四瓶，一共十二块八。

4) Wǒ yǒu yí gè gēge, tā jīnnián shíbā suì. Wǒ hái yǒu yì zhī xiǎomāo, xiǎomāo liǎng suì.
我有一个哥哥，他今年十八岁。我还有一只小猫，小猫两岁。

7. Write the characters.

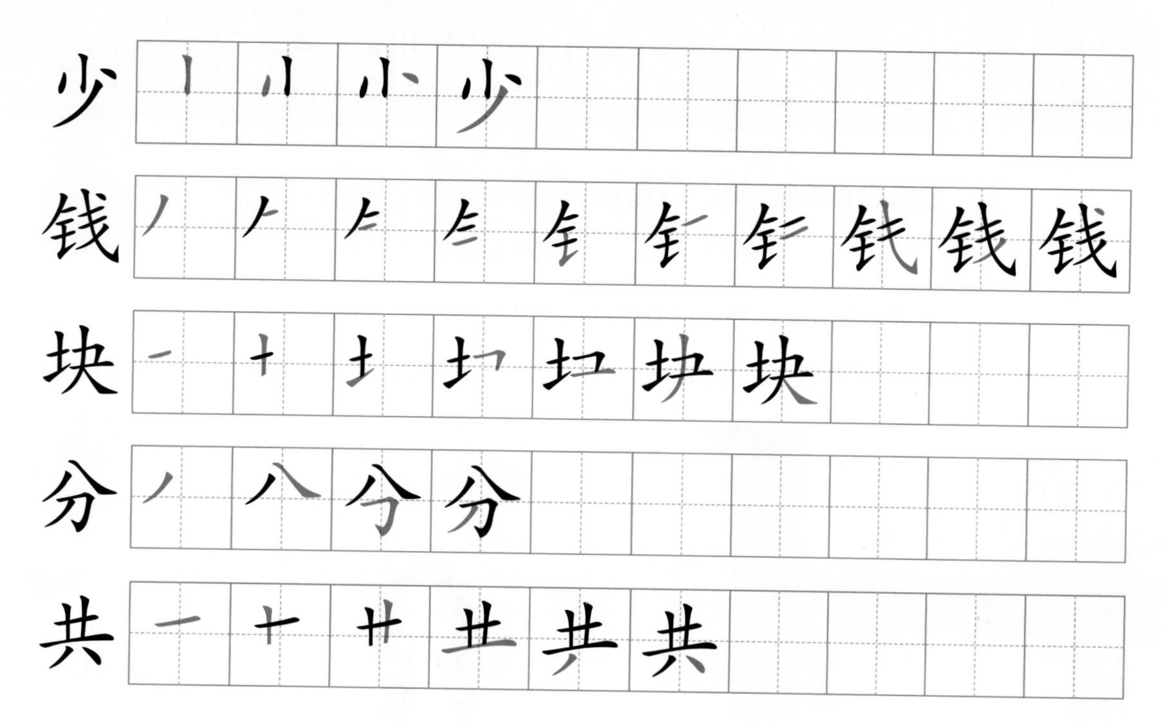

第九课 这件衣服比那件贵一点儿

Learning Objectives

- Compare two things.
- Indicate whether two things are the same or different.

New Words

1. jiàn 件 (a measure word)
2. yīfu 衣服 clothes
3. guì 贵 expensive
4. yìdiǎnr 一点儿 a little, a bit
5. zìxíngchē 自行车 bicycle
6. gēn 跟 with
7. yíyàng 一样 (to be the) same
8. máoyī 毛衣 sweater
9. duǎn 短 short
10. piányi 便宜 cheap
11. yùndòngxié 运动鞋 sneakers
12. cháng 长 long

Sentence Patterns

1. Zhè jiàn yīfu bǐ nà jiàn guì yìdiǎnr.
这件衣服比那件贵一点儿。
2. Nà jiàn yīfu méiyǒu zhè jiàn yīfu piàoliang.
那件衣服没有这件衣服漂亮。
3. Tā de zìxíngchē gēn wǒ de zìxíngchē yíyàng.
他的自行车跟我的自行车一样。
4. Wǒ de àihào gēn nǐ de àihào bù yíyàng.
我的爱好跟你的爱好不一样。
5. Gēge bǐ tā dà yìdiǎnr.
哥哥比他大一点儿。

Using in Context

1) A: Zhè shì nǐ de zìxíngchē ma?
这是你的自行车吗？

B: Bú shì, zhè shì Jim de zìxíngchē.
不是，这是Jim的自行车。

A: Tā de zìxíngchē gēn wǒ de zìxíngchē yíyàng.
他的自行车跟我的自行车一样。

B: Wǒ de zìxíngchē gēn nǐmen de bù yíyàng.
我的自行车跟你们的不一样。

Wǒ yǒu liǎng jiàn yīfu. Zhè jiàn yīfu bǐ nà jiàn guì yìdiǎnr,
2) 我有两件衣服。这件衣服比那件贵一点儿，
nà jiàn yīfu méiyǒu zhè jiàn yīfu piàoliang. Wǒ xǐhuan zhè jiàn.
那件衣服没有这件衣服漂亮。我喜欢这件。

1. Number the pictures in the order that you hear.

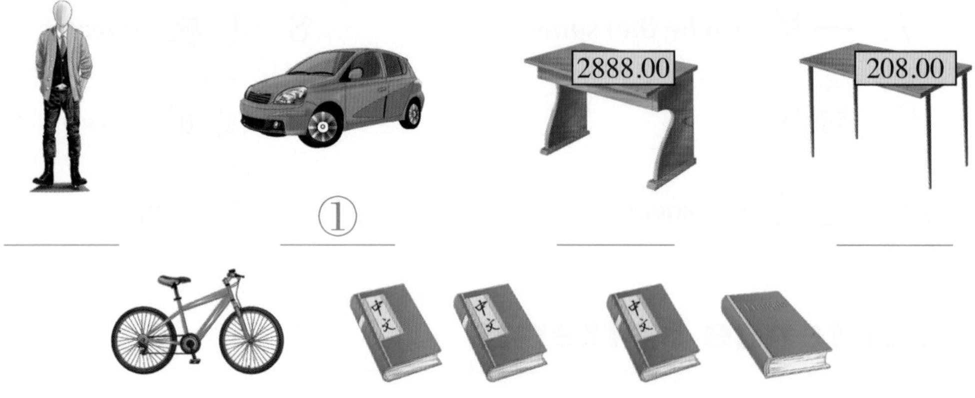

2. Listen and mark each sentence with √ or ×.

Nà jiàn yīfu piàoliang.
1) 那件衣服漂亮。 (　　)

Jim de zìxíngchē bǐ Mary de zìxíngchē guì yìdiǎnr.
2) Jim的自行车比Mary的自行车贵一点儿。 (　　)

Míngming de àihào gēn Lìli de àihào bù yíyàng.
3) 明明的爱好跟丽丽的爱好不一样。 (　　)

3. Copy the *pinyin* under the correct phrases.

wǒmen de zìxíngchē bù yíyàng	这个比那个短一点儿 ____________
zhège bǐ nàge duǎn yìdiǎnr	我们的自行车不一样 ____________

nàge méiyǒu zhège piányi	那个花园很大
nàge huāyuán hěn dà	那个没有这个便宜
zhè jiàn máoyī hěn piàoliang	这件毛衣很漂亮
gēn wǒ de àihào yíyàng	我的运动鞋很贵
wǒ de yùndòngxié hěn guì	跟我的爱好一样
zhè jiàn yīfu méiyǒu nà jiàn cháng	这件衣服没有那件长

4. Complete the dialogues according to the pictures below.

1)

Nǐ jiā yǒu jǐ gè fángjiān?
你家有几个房间?

Wǒ jiā
我家＿＿＿＿＿，
nǐ jiā ne?
你家呢?

Wǒ jiā
我家＿＿＿＿＿。

Nǐ jiā bǐ
你家比＿＿＿＿＿。

5. Match the Chinese with the English.

1) Wǒ de fángjiān bǐ tā de fángjiān gānjìng. 我的房间比他的房间干净。	a) This garden is not as big as that garden.
2) Zhège huāyuán méiyǒu nàge huāyuán dà. 这个花园没有那个花园大。	b) This clothes is a little more expensive than that one.
3) Zhè jiàn yīfu bǐ nà jiàn guì yìdiǎnr. 这件衣服比那件贵一点儿。	c) My room is cleaner than his room.
4) Tā de shūzhuō gēn wǒ de shūzhuō yíyàng. 他的书桌跟我的书桌一样。	d) His desk is the same as my desk.

5) Nǐ de zìxíngchē gēn tā de zìxíngchē bù yíyàng.
你的自行车跟他的自行车不一样。

6) Wǒ de yùndòngxié bǐ tā de yùndòngxié dà.
我的运动鞋比他的运动鞋大。

7) Zhè jiàn máoyī bǐ nà jiàn duǎn yìdiǎnr.
这件毛衣比那件短一点儿。

8) Zhège shāfā méiyǒu nàge cháng.
这个沙发没有那个长。

e) Your bicycle is not the same as his bicycle.

f) My sneakers are bigger than his sneakers.

g) This sofa is not as long as that one.

h) This sweater is a little shorter than that one.

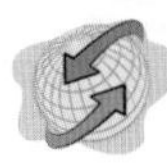

6. Translate the following sentences.

1) Wǒ shí'èr suì, tā shí'èr suì bàn. Tā bǐ wǒ dà yìdiǎnr.
我十二岁，他十二岁半。他比我大一点儿。

2) Wǒ méiyǒu gēge gāo, wǒ de yùndòngxié bǐ tā de yùndòngxié xiǎo yìdiǎnr.
我没有哥哥高，我的运动鞋比他的运动鞋小一点儿。

3) Běijīng de píngguǒ sì kuài wǔ yì jīn, Shànghǎi de píngguǒ sì kuài bā yì jīn. Shànghǎi de píngguǒ bǐ Běijīng de píngguǒ guì yìdiǎnr.
北京的苹果四块五一斤，上海的苹果四块八一斤。上海的苹果比北京的苹果贵一点儿。

4) Tā jiā de huāyuán piàoliang, wǒ jiā de huāyuán yě piàoliang. Tā jiā de huāyuán méiyǒu wǒ jiā de huāyuán piàoliang.
他家的花园漂亮，我家的花园也漂亮。他家的花园没有我家的花园漂亮。

5) Zhè jiàn máoyī bǐ nà jiàn piàoliang, zhè jiàn máoyī hái bǐ nà jiàn piányi yìdiǎnr, wǒ mǎi zhè jiàn.
这件毛衣比那件漂亮，这件毛衣还比那件便宜一点儿，我买这件。

6) Mike de àihào shì yīnyuè, Míngming hé Jim de àihào shì diànnǎo yóuxì. Mike de àihào gēn Míngming de àihào bù yíyàng, Míngming de àihào gēn Jim de àihào yíyàng.
Mike的爱好是音乐，明明和Jim的爱好是电脑游戏。Mike的爱好跟明明的爱好不一样，明明的爱好跟Jim的爱好一样。

7. Write the characters.

衣						衣				
件						件				
自						自				
行						行				
样										样

单元小结

1. 某人＋买＋名词＋和＋名词	例句：我买牛奶和面包。 他买鸡和猪肉。
2. 某人＋还＋要／买＋什么？	例句：你还要什么？ 哥哥还买什么？
3. 某人＋还＋要／买＋名词	例句：妈妈还买面包。 我还要一瓶牛奶，两斤苹果。
4. 某人＋要／买＋多少？／几＋量词？	例句：你买多少？ 他要几瓶？
5. 某人＋要／买＋数字＋量词（＋名词）	例句：我要一瓶。 妈妈买一斤点心。
6. 某物＋多少钱＋一＋量词？	例句：牛奶多少钱一瓶？ 苹果多少钱一斤？
7. 某物＋钱数＋一＋量词	例句：牛奶十块一瓶。 苹果两块四毛九一斤。
8. 一共＋多少钱？	例句：一共多少钱？
9. 一共＋钱数	例句：一共十五块零六分。 一共十一块六毛五分。
10. A＋比＋B＋形容词＋一点儿	例句：这件衣服比那件衣服贵一点儿。 我的房间比他的房间干净一点儿。
11. A＋没有＋B＋形容词	例句：那件衣服没有这件衣服漂亮。 他的房间没有我的房间干净。
12. A＋跟＋B＋（不）一样	例句：他的自行车跟我的自行车一样。 我的爱好跟你的爱好不一样。

Chinese Currency

The *renminbi* (RMB) is China's legal tender. The main monetary unit is the yuan, which is subdivided into *jiao* and *fen*. One yuan is equal to ten *jiao*, and one *jiao* is equal to ten *fen*. Currently, the denominations of paper money in circulation are one, two and five *jiao* notes; and five, ten, twenty, fifty and one hundred yuan notes. Also in circulation are one, two and five *fen* coins, one and five *jiao* coins, and one yuan coin. In everyday conversation, yuan is often referred to as *kuai* and *jiao* as *mao*.

Unit Four School Life
第四单元 学校生活

第十课　你今天上了什么课

Learning Objectives

- Talk about which classes you have today.
- Talk about your school subjects.

New Words

1. shàng (kè) 上(课) to go to (class)
2. le 了 (an aspectual particle)
3. míngtiān 明天 tomorrow
4. shùxué 数学 mathematics
5. Déyǔ 德语 German (language)
6. lìshǐ 历史 history
7. dìlǐ 地理 geography
8. xiàwǔ 下午 afternoon
9. zhōumò 周末 weekend
10. shíjiān 时间 time

Sentence Patterns

1. Nǐ jīntiān shàngle shénme kè?
你今天上了什么课?
2. Wǒ jīntiān shàngle tǐyùkè.
我今天上了体育课。
3. Nǐ míngtiān yǒu shénme kè?
你明天有什么课?
4. Wǒ míngtiān yǒu Hànyǔkè.
我明天有汉语课。
5. Xīngqī'èr wǒ méiyǒu shùxuékè hé Déyǔkè.
星期二我没有数学课和德语课。

Using in Context

1) A: Nǐ jīntiān shàngle shénme kè?
你今天上了什么课?
B: Wǒ jīntiān shàngle yīnyuèkè.
我今天上了音乐课。
A: Nǐ míngtiān yǒu shénme kè?
你明天有什么课?
B: Wǒ míngtiān yǒu lìshǐkè, nǐ ne?
我明天有历史课，你呢?
A: Wǒ míngtiān yǒu shùxuékè hé dìlǐkè.
我明天有数学课和地理课。

Jim shì Yīngguórén, tā huì shuō Hànyǔ. Tā jīntiān xiàwǔ shàngle
2) Jim是英国人，他会说汉语。他今天下午上了
Hànyǔkè, tā xǐhuan Hànyǔkè. Jim yě huì shuō Déyǔ. Tā
汉语课，他喜欢汉语课。Jim也会说德语。他
míngtiān yǒu Déyǔkè, tā yě xǐhuan Déyǔkè. Zhōumò tā yǒu
明天有德语课，他也喜欢德语课。周末他有
shíjiān, tā xiǎng qù kàn Zhōngwén diànyǐng.
时间，他想去看中文电影。

1. Listen and match the students with the subjects.

2. Listen and fill in the chart.

① History ② Geography ③ Mathematics ④ German
⑤ Music ⑥ French ⑦ Chinese ⑧ P. E.

	Mike	Jim	丽丽	小海	Mary
Today	④ ⑦				
Tomorrow	⑤ ⑥				

3. Read and match.

1) 有历史课和数学课	a) Yīngyǔkè hé Déyǔkè
2) 有音乐课	b) zhōumò méiyǒu kè
3) 上法语课	c) shàng Fǎyǔkè
4) 英语课和德语课	d) yǒu lìshǐkè hé shùxuékè
5) 有汉语课	e) shàng dìlǐkè
6) 上地理课	f) yǒu yīnyuèkè
7) 周末没有课	g) yǒu Hànyǔkè

4. Make dialogues according to the pictures below.

1)

Nǐ jīntiān shàngle shénme kè?
你今天上了什么课？

Wǒ jīntiān shàngle Déyǔkè.
我今天上了德语课。

Nǐ míngtiān yǒu shénme kè?
你明天有什么课？

Wǒ míngtiān yǒu lìshǐkè hé dìlǐkè.
我明天有历史课和地理课。

2)

Wǒ jīntiān shàngle …
我今天上了……

Nǐ jīntiān shàngle …?
你今天上了……？

Wǒ míngtiān yǒu …
我明天有……

Nǐ míngtiān yǒu …?
你明天有……？

5. Match the Chinese with the English.

1) shùxuékè hé Déyǔkè
数学课和德语课

2) lìshǐkè hé shùxuékè
历史课和数学课

3) Déyǔkè hé yīnyuèkè
德语课和音乐课

4) tǐyùkè hé dìlǐkè
体育课和地理课

5) dìlǐkè hé Hànyǔkè
地理课和汉语课

6) Fǎyǔkè hé dìlǐkè
法语课和地理课

a) German class and music class

b) geography class and Chinese class

c) history class and mathematics class

d) P.E. and geography class

e) mathematics class and German class

f) French class and geography class

6. Translate the following sentences.

1) Wǒ xīngqīyī shàngle yīnyuèkè, wǒ xǐhuan shàng yīnyuèkè. Wǒ míngtiān yǒu lìshǐkè hé shùxuékè.
我星期一上了音乐课，我喜欢上音乐课。我明天有历史课和数学课。

2) Wǒ xīngqī'èr yǒu Déyǔkè hé dìlǐkè, wǒ méiyǒu shùxuékè hé Hànyǔkè.
我星期二有德语课和地理课，我没有数学课和汉语课。

3) Wǒ huì shuō Hànyǔ, wǒ xiǎng qù Zhōngguó, wǒ xiǎng zuò fēijī qù Běijīng hé Shànghǎi.
我会说汉语，我想去中国，我想坐飞机去北京和上海。

4) Míngtiān shì zhōumò, wǒmen méiyǒu kè, wǒ hé Xiǎohǎi xiàwǔ qù kàn Zhōngwén diànyǐng.
明天是周末，我们没有课，我和小海下午去看中文电影。

7. Practice your pronunciation.

Qiān tiáo xiàn,
千 条 线，

Wàn tiáo xiàn,
万 条 线，

Diào zài shuǐ li kàn bú jiàn.
掉 在 水 里 看 不 见。

A thousand threads,
Ten thousand threads,
When they fall into the water, they cannot be seen.

8. Write the characters.

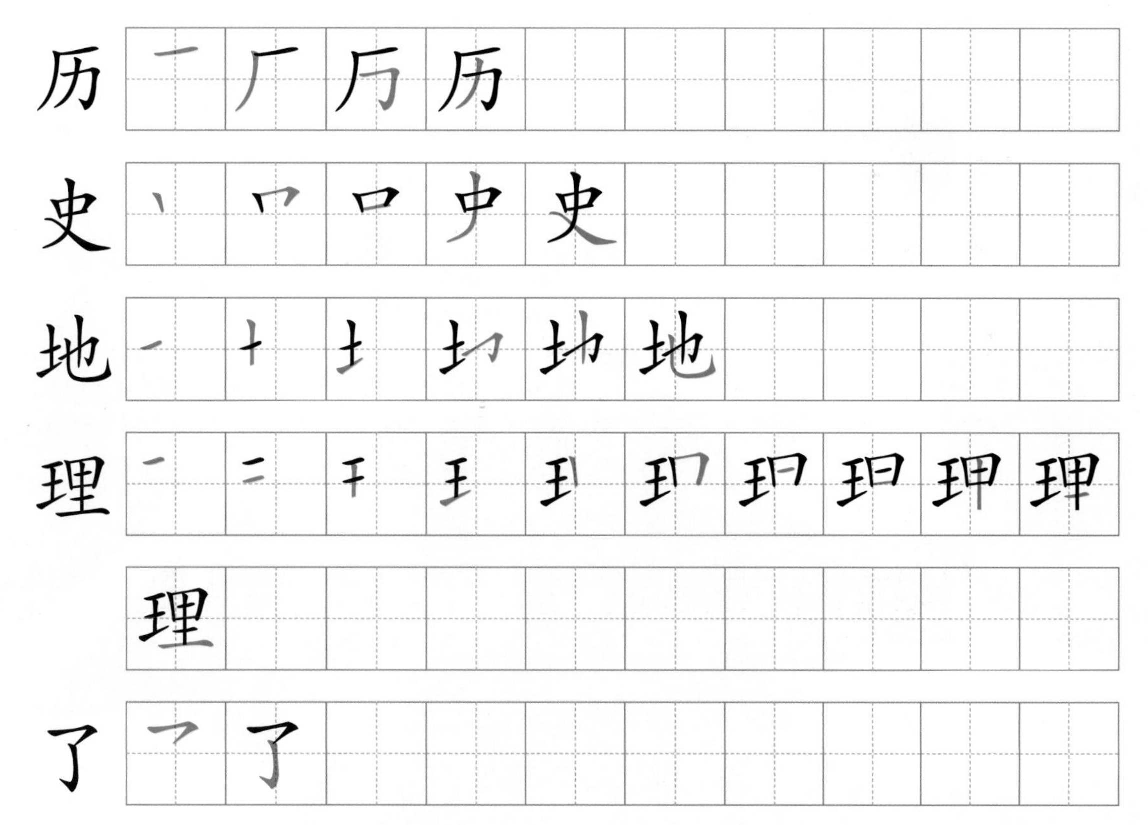

第十一课　汉语难不难

Learning Objectives

- Discuss opinions about your courses.
- Talk about homework and exams.

Jīntiān zuòyè duō bù duō?
今天作业多不多？

Jīntiān zuòyè hěn duō.
今天作业很多。

New Words

1. nán 难 **difficult**
2. zuòyè 作业 **homework**
3. yǒu yìsi 有意思 **interesting**
4. zhōngxué 中学 **secondary school**
5. kēmù 科目 **subject**
6. róngyì 容易 **easy**
7. chéngjì 成绩 **result, grade**
8. méi yìsi 没意思 **to be bored, to be boring**
9. kǎoshì 考试 **examination**
10. yǒu kòngr 有空儿 **to be free, to have free time**

Sentence Patterns

1. Hànyǔ nán bù nán?
   汉语难不难？
2. Hànyǔ bù nán.
   汉语不难。
3. Jīntiān zuòyè duō bù duō?
   今天作业多不多？
4. Jīntiān zuòyè hěn duō.
   今天作业很多。
5. Hànyǔkè yǒu yìsi ma?
   汉语课有意思吗？
6. Hànyǔkè hěn yǒu yìsi.
   汉语课很有意思。

Using in Context

1) A: Wǒ jīntiān shàngle Hànyǔkè.
   我今天上了汉语课。
   B: Hànyǔ nán bù nán?
   汉语难不难？
   A: Hànyǔ bù nán, Hànyǔkè hěn yǒu yìsi.
   汉语不难，汉语课很有意思。
   B: Zhōngxué de kēmù duō bù duō?
   中学的科目多不多？
   A: Zhōngxué de kēmù hěn duō.
   中学的科目很多。
   B: Nǐ xǐhuan shénme kè?
   你喜欢什么课？
   A: Wǒ xǐhuan Hànyǔkè hé dìlǐkè.
   我喜欢汉语课和地理课。

Wǒ jiào Ann, wǒ shì xuéshēng. Wǒ jīntiān shàngle Hànyǔkè hé shùxuékè.
2) 我叫Ann，我是学生。我今天上了汉语课和数学课。
Hànyǔkè hěn yǒu yìsi, shùxuékè yě hěn yǒu yìsi. Hànyǔ zuòyè hěn
汉语课很有意思，数学课也很有意思。汉语作业很
róngyì, shùxué zuòyè bù róngyì. Wǒ dìdi xǐhuan lìshǐkè, tā de
容易，数学作业不容易。我弟弟喜欢历史课，他的
lìshǐ chéngjì hěn hǎo. Tā bù xǐhuan dìlǐkè, tā shuō dìlǐ méi yìsi.
历史成绩很好。他不喜欢地理课，他说地理没意思。

1. Number the words in the order that you hear.

yǒu yìsi 有意思	lìshǐ kǎoshì 历史考试	Hànyǔ kǎoshì 汉语考试	zhōngxué 中学	zuòyè 作业
			①	
róngyì 容易	kǎoshì 考试	hěn nán 很难	bù róngyì 不容易	kēmù 科目

2. Listen and mark each sentence with √ or ×.

1) Ann has a lot of homework. ( )

2) The geography exam is not difficult. ( )

3) Jim feels that the French class is boring. ( )

4) Mary does not like any subjects at school. ( )

3. Read and match.

1) 法语作业	a) Fǎyǔ zuòyè
2) 地理考试	b) zuòyè bù duō
3) 中学科目	c) zuòyè hěn nán
4) 中学教师	d) zhōngxué kēmù
5) 作业很难	e) dìlǐ kǎoshì
6) 作业不多	f) zhōngxué jiàoshī

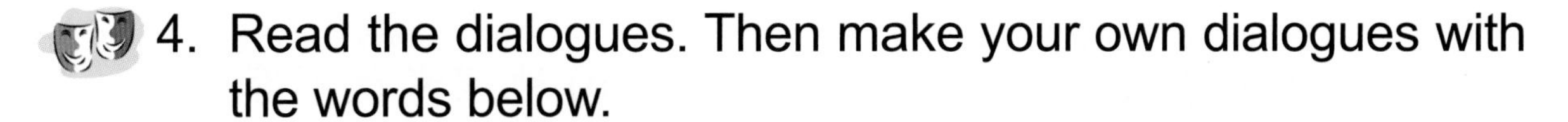

4. Read the dialogues. Then make your own dialogues with the words below.

1)

Nǐ jīntiān shàngle shénme kè?
你今天上了什么课？

Wǒ jīntiān shàngle shùxuékè.
我今天上了数学课。

Shùxué nán bù nán?
数学难不难？

Shùxué bù nán.
数学不难。

Yīngyǔ	Fǎyǔ	Déyǔ	dìlǐ	lìshǐ	Hànyǔ
英语	法语	德语	地理	历史	汉语

2)

Fǎyǔkè yǒu yìsi ma?
法语课有意思吗？

Fǎyǔkè hěn yǒu yìsi.
法语课很有意思。

Fǎyǔ zuòyè duō bù duō?
法语作业多不多？

Fǎyǔ zuòyè bù duō.
法语作业不多。

Yīngyǔ	Hànyǔ	Déyǔ	dìlǐ	lìshǐ	shùxué
英语	汉语	德语	地理	历史	数学

3)

Hànyǔkè yǒu yìsi ma?
汉语课有意思吗?

Hànyǔ kǎoshì róngyì bù róngyì?
汉语考试容易不容易?

Hànyǔkè hěn yǒu yìsi.
汉语课很有意思。

Hànyǔ kǎoshì bù róngyì.
汉语考试不容易。

duō nán
多 难

5. Match the questions with the answers.

Nǐ jīntiān shàngle shénme kè?
1) 你今天上了什么课?

Shùxué kǎoshì nán bù nán?
2) 数学考试难不难?

Hànyǔ zuòyè duō bù duō?
3) 汉语作业多不多?

Dìlǐ kǎoshì róngyì ma?
4) 地理考试容易吗?

Nǐ xǐhuan shénme kēmù?
5) 你喜欢什么科目?

Lìshǐkè yǒu yìsi ma?
6) 历史课有意思吗?

Nǐ zhōumò yǒu kòngr ma?
7) 你周末有空儿吗?

Wǒ xǐhuan yīnyuè hé lìshǐ.
a) 我喜欢音乐和历史。

Dìlǐ kǎoshì bù róngyì.
b) 地理考试不容易。

Lìshǐkè hěn yǒu yìsi.
c) 历史课很有意思。

Wǒ zhōumò yǒu kòngr.
d) 我周末有空儿。

Hànyǔ zuòyè hěn duō.
e) 汉语作业很多。

Wǒ jīntiān shàngle shùxuékè.
f) 我今天上了数学课。

Shùxué kǎoshì bù nán.
g) 数学考试不难。

6. Translate the following sentences.

Wǒ jīntiān shàngle Yīngyǔkè. Yīngyǔkè hěn yǒu yìsi, Yīngyǔ zuòyè hěn róngyì.
1) 我今天上了英语课。英语课很有意思,英语作业很容易。
Wǒ jīntiān xiàwǔ yǒu kòngr, wǒ hé Ann qù túshūguǎn kàn Yīngwénshū.
我今天下午有空儿,我和Ann去图书馆看英文书。

Wǒ míngtiān yǒu lìshǐkè. Lìshǐ zuòyè bù róngyì, lìshǐ kǎoshì hěn nán.
2) 我明天有历史课。历史作业不容易,历史考试很难。

3) Zhōngxué de kēmù hěn duō. Wǒ xǐhuan yīnyuè hé lìshǐ, wǒ péngyou xǐhuan dìlǐ hé shùxué. Tā de shùxué chéngjì hěn hǎo.
中学的科目很多。我喜欢音乐和历史，我朋友喜欢地理和数学。他的数学成绩很好。

4) Wǒ mèimei xǐhuan shàngkè, tā shuō shàngkè yǒu yìsi. Tā bù xǐhuan kǎoshì, tā shuō kǎoshì méi yìsi.
我妹妹喜欢上课，她说上课有意思。她不喜欢考试，她说考试没意思。

7. Write the characters.

第十二课　来打乒乓球吧

Learning Objectives

- Invite someone to do an activity.
- Talk about various sports.

New Words

1. 来 (lái) to come
2. 乒乓球 (pīngpāngqiú) table tennis
3. 羽毛球 (yǔmáoqiú) badminton
4. 踢 (tī) to play (football); to kick
5. 足球 (zúqiú) football, soccer
6. 学（习）(xué (xí)) to study, to learn
7. 语言 (yǔyán) language
8. 书法 (shūfǎ) calligraphy
9. 上学 (shàngxué) to go to school
10. 游泳池 (yóuyǒngchí) swimming pool

Sentence Patterns

1. Lái dǎ pīngpāngqiú ba!
来打乒乓球吧！
2. Wǒ bú huì dǎ pīngpāngqiú.
我不会打乒乓球。
3. Wǒmen qù dǎ yǔmáoqiú.
我们去打羽毛球。
4. Nǐmen tī bù tī zúqiú?
你们踢不踢足球？
5. Wǒmen bù tī zúqiú.
我们不踢足球。

Using in Context

1) A: Nǐ dǎ bù dǎ pīngpāngqiú?
你打不打乒乓球？

B: Wǒ bù dǎ pīngpāngqiú,
我不打乒乓球，
wǒ qù dǎ yǔmáoqiú.
我去打羽毛球。

A: Lái dǎ pīngpāngqiú ba!
来打乒乓球吧！

B: Wǒ bú huì dǎ pīngpāngqiú.
我不会打乒乓球。

C: Wǒ lái dǎ pīngpāngqiú, wǒ huì dǎ pīngpāngqiú.
我来打乒乓球，我会打乒乓球。

Mary hé Xiǎohǎi huì dǎ pīngpāngqiú, tāmen měi tiān dǎ pīngpāngqiú.
2) Mary和小海会打乒乓球，他们每天打乒乓球。
Lìli bú huì dǎ pīngpāngqiú, tā qù dǎ yǔmáoqiú. Ann xǐhuan
丽丽不会打乒乓球，她去打羽毛球。Ann喜欢
xuéxí yǔyán, tā de àihào shì shūfǎ, tā měi tiān xuéxí shūfǎ.
学习语言，她的爱好是书法，她每天学习书法。
Zhōumò wǒmen bú shàngxué, wǒmen qù yóuyǒngchí yóuyǒng.
周末我们不上学，我们去游泳池游泳。

1. Listen and match the students with their activities.

小红	丽丽	Jim	小海	Mary	Ann	Mike
④						

2. Listen and mark (√) the correct pictures.

1) Ann is going to ______

2) Mike is not good at ______

3) Jim asked Lili to ______

4) Mary is going to ______

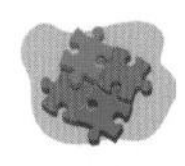

3. Read and match.

1) 来打乒乓球	a) tī bù tī zúqiú
2) 去踢足球	b) dǎ bù dǎ yǔmáoqiú
3) 学习不学习书法	c) qù tī zúqiú
4) 打不打羽毛球	d) lái dǎ pīngpāngqiú
5) 踢不踢足球	e) xuéxí bù xuéxí shūfǎ
6) 喜欢学习语言	f) xǐhuan xuéxí yǔyán

4. Read the dialogue. Then make your own dialogues with the phrases below.

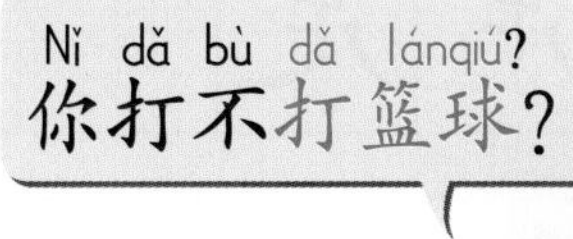

Wǒ bù dǎ lánqiú, wǒ qù dǎ pīngpāngqiú.
我不打篮球，我去打乒乓球。

Lái dǎ lánqiú ba!
来打篮球吧!

Wǒ bú huì dǎ lánqiú, wǒmen dǎ pīngpāngqiú ba!
我不会打篮球，我们打乒乓球吧!

dǎ pīngpāngqiú 打乒乓球	dǎ yǔmáoqiú 打羽毛球	dǎ wǎngqiú 打网球
dǎ lánqiú 打篮球	tī zúqiú 踢足球	yóuyǒng 游泳

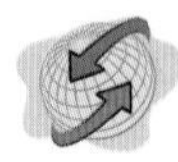

5. Translate the following sentences.

Wǒ hé gēge xīngqīliù zuò qìchē qù tǐyùguǎn, wǒmen qù dǎ pīngpāngqiú.
1) 我和哥哥星期六坐汽车去体育馆，我们去打乒乓球。
Jiějie bú huì dǎ pīngpāngqiú. Tā kāichē qù túshūguǎn, tā qù kàn Zhōngwénshū.
姐姐不会打乒乓球。她开车去图书馆，她去看中文书。

Wǒ jīntiān dǎle pīngpāngqiú. Wǒ hé jiějie míngtiān qù xuéxí shūfǎ. Wǒmen xǐhuan shūfǎ, shūfǎ hěn yǒu yìsi.
2) 我今天打了乒乓球。我和姐姐明天去学习书法。我们喜欢书法，书法很有意思。

Jīntiān shì zhōumò, wǒmen bú shàngxué. Dìdi kàn Déyǔshū, tā xǐhuan xuéxí yǔyán. Wǒ hé Xiǎohǎi qù tī zúqiú, tī zúqiú hěn yǒu yìsi.
3) 今天是周末，我们不上学。弟弟看德语书，他喜欢学习语言。我和小海去踢足球，踢足球很有意思。

6. Write the characters.

单元小结

1. 某人+时间词语+上+了+什么课？	例句：你今天上了什么课？ 姐姐星期三上了什么课？
2. 某人+时间词语+上+了+课程名称	例句：我今天上了历史课。 哥哥今天上了法语课。 姐姐星期三上了汉语课。
3. 某人+时间词语+有+什么课？	例句：你明天有什么课？ 弟弟星期五有什么课？
4. 某人+时间词语+有+课程名称	例句：我明天有汉语课。 他明天有历史课和音乐课。 姐姐星期三有德语课和体育课。
5. 主语+形容词+不+形容词？	例句：汉语难不难？ 地理考试容易不容易？
6. 主语+不/很+形容词	例句：汉语不难。 地理考试很容易。
7. 来/去（+动词+宾语）+吧！	例句：来吧！ 去打乒乓球吧！
8. 某人+动词+不+动词+宾语？	例句：你打不打乒乓球？ 你们踢不踢足球？ 弟弟学习不学习书法？
9. 某人+来/去+动词+宾语	例句：我们去打羽毛球。 姐姐来学习书法。

Confucius, One of China's Great Educators

Confucius (551 BC – 479 BC) is well known today as one of China's greatest thinkers and educators. He had many followers during his lifetime, 72 of whom also became renowned as men of great talent and excellent moral character. His teachings, recorded by his followers, were compiled into the Confucian classic known in English as *The Analects*. Some of his most well-known sayings relate to study and education, such as "Make no social distinction in teaching", "Learn from everyone" and "Have an insatiable desire to learn and be tireless in teaching others". These and other Confucian teachings have had a far-reaching influence on education in China.

Unit Five Environment and Health

第五单元 环境与健康

第十三课　明天有小雨

Learning Objectives

- Talk about the weather.
- Talk about the seasons (spring and autumn).

New Words

1. qíngtiān 晴天 clear day
2. yǔ 雨 rain
3. chūntiān 春天 spring
4. chángcháng 常常 often
5. fēng 风 wind
6. qiūtiān 秋天 fall, autumn
7. zuì 最 the most
8. jìjié 季节 season
9. dù 度 degree
10. tài … le 太……了 too (big, cold, etc.)

Sentence Patterns

1. Jīntiān shì qíngtiān.
今天是晴天。
2. Míngtiān yǒu xiǎoyǔ.
明天有小雨。
3. Běijīng de chūntiān chángcháng yǒu fēng.
北京的春天 常常 有风。
4. Qiūtiān shì Běijīng zuì hǎo de jìjié.
秋天是北京最好的季节。
5. Běijīng de qiūtiān bù lěng yě bú rè.
北京的秋天不冷也不热。

Using in Context

1) A: Nǐ jīntiān kàn diànshì le ma?
你今天看电视了吗？

B: Kàn le.
看了。

A: Jīntiān lěng ma? Duōshao dù?
今天冷吗？多少度？

B: Bù lěng. Jīntiān shì qíngtiān, èrshí dù.
不冷。今天是晴天，二十度。

A: Míngtiān ne?
明天呢？

B: Míngtiān lěng, shíwǔ dù, míngtiān yǒu xiǎoyǔ.
明天冷，十五度，明天有小雨。

Běijīng yǒu sì gè jìjié. Běijīng de chūntiān chángcháng yǒu fēng. Qiūtiān
2) 北京有四个季节。北京的春天常常有风。秋天
hěn hǎo, bù lěng yě bú rè. Qiūtiān shì Běijīng zuì hǎo de jìjié.
很好，不冷也不热。秋天是北京最好的季节。

1. Number the words in the order that you hear.

yǔ 雨	zuì 最	chūntiān 春天	jìjié 季节
		①	
fēng 风	chángcháng 常常	qíngtiān 晴天	qiūtiān 秋天

2. Listen and mark (√) the correct pictures.

3. Read aloud.

1) yǔ 雨　xiǎoyǔ 小雨　dàyǔ 大雨

2) chūntiān 春天　qiūtiān 秋天

3) chángcháng 常常　chángcháng yùndòng 常常运动　chángcháng qù túshūguǎn 常常去图书馆　chángcháng dǎ lánqiú 常常打篮球

4) zuì 最　zuì gāo 最高　zuì dà 最大　zuì hǎo 最好

5) shéi zuì gāo 谁最高　shéi de péngyou zuì duō 谁的朋友最多　shéi de fángjiān zuì dà 谁的房间最大

6) tài hǎo le 太好了　tài lěng le 太冷了　tài cháng le 太长了　tài duǎn le 太短了

4. Make dialogues according to the pictures below.

1) A: 今天冷吗？多少度？
Jīntiān lěng ma? Duōshao dù?

B: 不冷，今天是晴天。十八度。
Bù lěng, jīntiān shì qíngtiān. Shíbā dù.

A: 明天呢？
Míngtiān ne?

B: ……

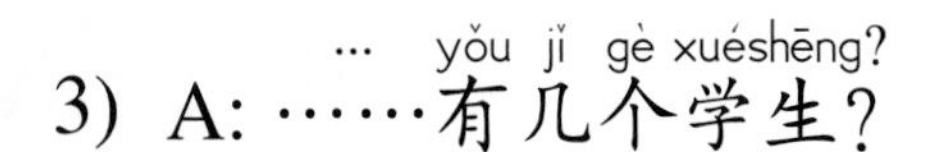

2) A: 你喜欢运动吗？
Nǐ xǐhuan yùndòng ma?

B: 我很喜欢。
Wǒ hěn xǐhuan.

A: 你常常做什么运动？
Nǐ chángcháng zuò shénme yùndòng?

B: 我常常……
Wǒ chángcháng ...

3) A: ……有几个学生？
... yǒu jǐ gè xuéshēng?

B: 我们班有九个学生。
Wǒmen bān yǒu jiǔ gè xuéshēng.

A: 谁是你们班最高的学生？
Shéi shì nǐmen bān zuì gāo de xuéshēng?

B: Mike是我们班最高的学生。
Mike shì wǒmen bān zuì gāo de xuéshēng.

4) A: 你家有几个人？
Nǐ jiā yǒu jǐ gè rén?

B: ……

A: 谁是你家最……的人？
Shéi shì nǐ jiā zuì ... de rén?

B: ……

5. Match the sentences with the correct pictures.

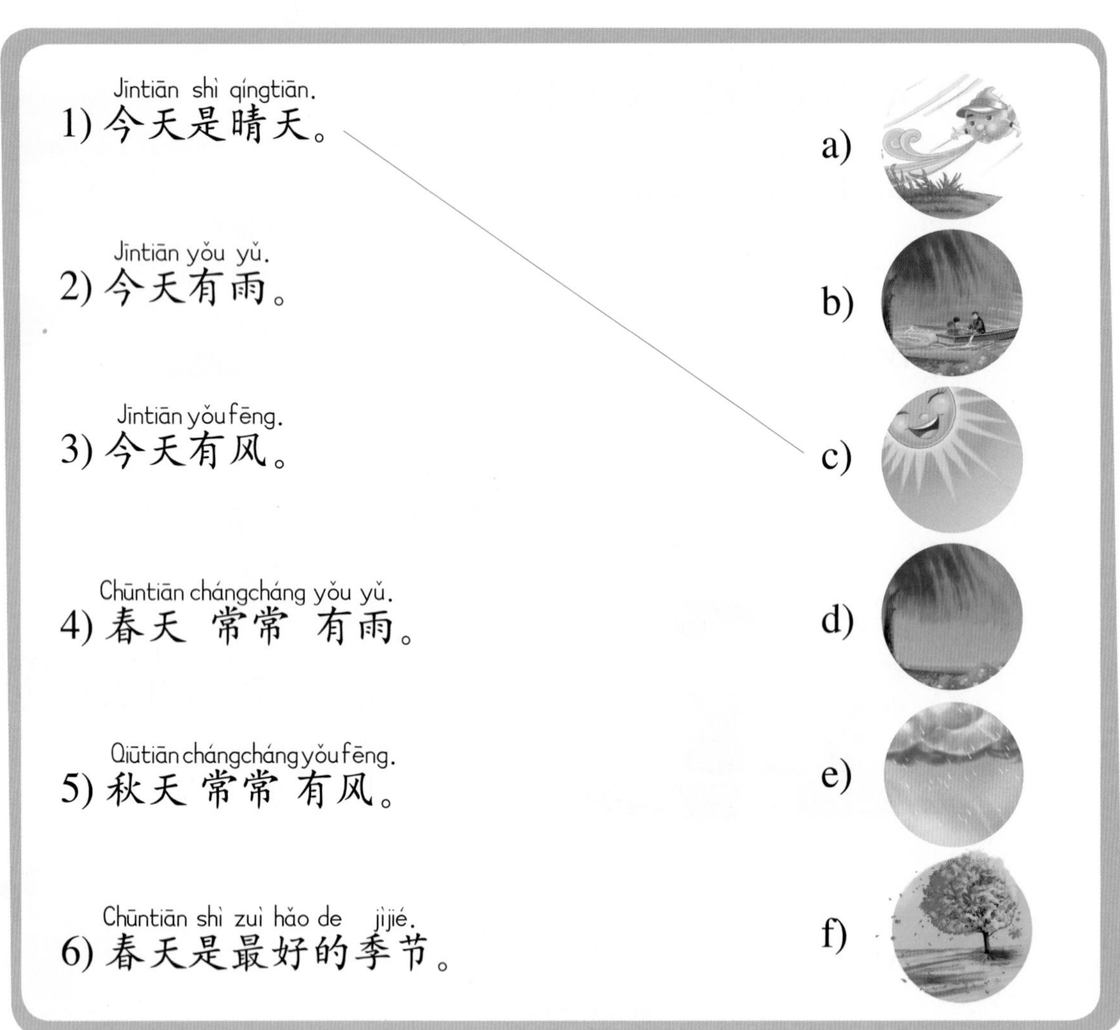

Jīntiān shì qíngtiān.
1) 今天是晴天。

Jīntiān yǒu yǔ.
2) 今天有雨。

Jīntiān yǒu fēng.
3) 今天有风。

Chūntiān chángcháng yǒu yǔ.
4) 春天 常常 有雨。

Qiūtiān chángcháng yǒu fēng.
5) 秋天 常常 有风。

Chūntiān shì zuì hǎo de jìjié.
6) 春天是最好的季节。

a) b) c) d) e) f)

6. Translate the following sentences.

Jīntiān bù lěng, jīntiān shì qíngtiān.
1) 今天不冷，今天是晴天。

Chūntiān chángcháng yǒu fēng, wǒ bù xǐhuan chūntiān.
2) 春天 常常 有风，我不喜欢春天。

Qiūtiān shì zuì hǎo de jìjié, bù lěng yě bú rè.
3) 秋天是最好的季节，不冷也不热。

Jīntiān sānshíwǔ dù, tài rè le.
4) 今天三十五度，太热了。

Zhège zhǎnlǎnhuì tài méi yìsi le.
5) 这个展览会太没意思了。

7. Practice your pronunciation.

Yǒng Liǔ
咏 柳

The Poetic Willow

Bìyù zhuāng chéng yí shù gāo,
碧玉妆成一树高，
Wàn tiáo chuíxià lǜ sītāo.
万条垂下绿丝绦。
Bù zhī xìyè shéi cáichū?
不知细叶谁裁出？
Èryuè chūnfēng sì jiǎndāo.
二月春风似剪刀。

The slender tree is draped in emerald.
A thousand branches droop like fringes of jade.
But do you know who cuts out these slim leaves?
It's the wind of early spring, sharp as scissor blades.

8. Write the characters.

明
雨
春
风
最

第十四课 在公园里

Learning Objectives

- Talk about exercising for health.
- Talk about where different activities are done.

New Words

1. nǎinai 奶奶 **grandmother**
2. gōngyuán 公园 **park**
3. sànbù 散步 **to take a walk**
4. háizi 孩子 **child**
5. cǎodì 草地 **lawn; grassland**
6. pǎo 跑 **to run**
7. yéye 爷爷 **grandfather**
8. hú 湖 **lake**
9. tàijíquán 太极拳 ***taijiquan***
10. wán 玩 **to play**
11. yǒu shíhou 有时候 **sometimes**

Sentence Patterns

1. Nǎinai zài gōngyuán li sànbù.
奶奶在公园里散步。
2. Háizi zài cǎodì shang pǎo.
孩子在草地上跑。
3. Yéye měi tiān zǎoshang zài hú biān dǎ tàijíquán.
爷爷每天早上在湖边打太极拳。
4. Wǒ xiǎng xuéxí tàijíquán.
我想学习太极拳。
5. Gōngyuán li měi tiān yǒu hěn duō rén.
公园里每天有很多人。

Using in Context

1) A: Nǎinai zài nǎr?
奶奶在哪儿?
B: Nǎinai zài gōngyuán li sànbù.
奶奶在公园里散步。

A: Háizi zài nǎr?
孩子在哪儿?
B: Háizi zài cǎodì shang pǎo.
孩子在草地上跑。

A: Yéye zài nǎr?
爷爷在哪儿?
B: Yéye zài hú biān dǎ tàijíquán.
爷爷在湖边打太极拳。

2) Wǒ jiā de hòubian yǒu yí gè gōngyuán. Zhège gōngyuán zhēn piàoliang, gōngyuán li měi tiān yǒu hěn duō rén. Nǎinai zài gōngyuán li sànbù, háizi
我家的后边有一个公园。这个公园真漂亮，公园里每天有很多人。奶奶在公园里散步，孩子

zài cǎodì shang wán. Yéye měi tiān zǎoshang zài hú biān dǎ tàijíquán. Wǒ yǒu
在草地上玩。爷爷每天早上在湖边打太极拳。我有
shíhou qù kàn dǎ tàijíquán, wǒ yě xiǎng xuéxí tàijíquán.
时候去看打太极拳，我也想学习太极拳。

1. Number the words in the order that you hear.

cǎodì 草地	sànbù 散步	tàijíquán 太极拳	nǎinai 奶奶	gōngyuán 公园
	①			
háizi 孩子	yéye 爷爷	pǎo 跑	hú biān 湖边	

2. Listen and mark (√) the correct pictures.

3. Read aloud.

1) gōngyuán li 公园里　gōngyuán li yǒu hěn duō rén 公园里有很多人　nǎinai zài gōngyuán li sànbù 奶奶在公园里散步

2) fángjiān li 房间里　fángjiān li yǒu zhuōzi hé yǐzi 房间里有桌子和椅子　bàba zài fángjiān li kàn shū 爸爸在房间里看书

3) cǎodì shang 草地上　cǎodì shang yǒu liǎng gè háizi 草地上有两个孩子　háizi zài cǎodì shang pǎo 孩子在草地上跑

4) shāfā shang 沙发上　shāfā shang yǒu yì zhī xiǎomāo 沙发上有一只小猫　xiǎomāo zài shāfā shang shuìjiào 小猫在沙发上睡觉

4. Make dialogues according to the pictures below.

1) A: 奶奶在哪儿散步？(Nǎinai zài nǎr sànbù?)

B: 奶奶在公园里散步。(Nǎinai zài gōngyuán li sànbù.)

2) A: 孩子……玩？(Háizi ... wán?)

B: 孩子在草地上玩。(Háizi zài cǎodì shang wán.)

3) A: 爷爷……打太极拳？(Yéye ... dǎ tàijíquán?)

B: ……

4) A: ……学习？(... xuéxí?)

B: ……

5. Read and match.

1) 爷爷在湖边散步。(Yéye zài hú biān sànbù.)

2) 奶奶在公园里打太极拳。(Nǎinai zài gōngyuán li dǎ tàijíquán.)

3) 小狗在草地上跑。(Xiǎo gǒu zài cǎodì shang pǎo.)

4) 孩子在床上睡觉。(Háizi zài chuáng shang shuìjiào.)

5) 学生在教室里学习。(Xuéshēng zài jiàoshì li xuéxí.)

a) 

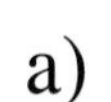

b) 

c) 

d) 

e) 

6. Translate the following sentences.

1) Gōngyuán li yǒu hěnduō rén, nǎinai zài gōngyuán li sànbù, háizi zài cǎodì shang pǎo.
公园里有很多人，奶奶在公园里散步，孩子在草地上跑。

2) Yéye měi tiān zǎoshang zài hú biān dǎ tàijíquán, wǒ chángcháng zǎoshang liù diǎn qǐchuáng, qù kàn tàijíquán.
爷爷每天早上在湖边打太极拳，我常常早上六点起床，去看太极拳。

3) Tàijíquán zhēn hǎokàn, wǒxiǎng xuéxí tàijíquán.
太极拳真好看，我想学习太极拳。

4) Xīngqītiān, yǒu shíhou wǒ qù túshūguǎn, yǒu shíhou gēn māma zài jiā kàn diàn-shì, yǒu shíhou gēn bàba qù kàn diànyǐng.
星期天，有时候我去图书馆，有时候跟妈妈在家看电视，有时候跟爸爸去看电影。

5) Wǒ jiā de duìmiàn yǒu yí gè xiǎo hú, hú biān de cǎodì shang yǒu hěnduō háizi zài wán.
我家的对面有一个小湖，湖边的草地上有很多孩子在玩。

7. Write the characters.

草

太

跑

园

奶

第十五课　我感冒了

Learning Objectives

- Talk about illnesses.
- Express that someone is ill.

New Words

1. gǎnmào 感冒 to catch a cold
2. tóu 头 head
3. téng 疼 ache, pain
4. shūfu 舒服 to be well
5. yǎnjing 眼睛 eye
6. hóng 红 red
7. dùzi 肚子 stomach
8. shàng xīngqī 上星期 last week
9. bìng 病 to be ill
10. lèi 累 tired

Sentence Patterns

1. Wǒ gǎnmào le. 我感冒了。
2. Tóu hěn téng. 头很疼。
3. Tā shénme dìfang bù shūfu? 他什么地方不舒服?
4. Tā yǎnjing hěn hóng. 他眼睛很红。
5. Dùzi yě bù shūfu. 肚子也不舒服。

Using in Context

1) A: Míngming, wǒmen qù tī zúqiú ba. 明明，我们去踢足球吧。

B: Wǒ bú qù. 我不去。

A: Nǐ bù shūfu ma? 你不舒服吗?

B: Wǒ shàng xīngqī gǎnmào le. 我上星期感冒了。

A: Nǐ qù yīyuàn le ma? 你去医院了吗?

B: Wǒ qù le. 我去了。

A: Zàijiàn. 再见。

B: Zàijiàn. 再见。

Zuótiān shì xīngqīwǔ, wǒ qù kàn diànyǐng. Zuótiān hěn lěng, hái
2) 昨天是星期五，我去看电影。昨天很冷，还

yǒu xiǎoyǔ. Jīntiān zǎoshang wǒ qī diǎn qǐchuáng, tóu téng, yǎnjing
有小雨。今天早上我七点起床，头疼，眼睛

hěn hóng, dùzi yě bù shūfu. Wǒ bìng le.
很红，肚子也不舒服。我病了。

1. Number the words in the order that you hear.

tóu 头	gǎnmào 感冒	téng 疼	bìng 病
			①
yǎnjing 眼睛	dùzi 肚子	shūfu 舒服	hóng 红

2. Listen and mark (√) the correct pictures.

1) 2) 3) 4) 5)

3. Read aloud.

1) tóu 头	yǎnjing 眼睛	dùzi 肚子	
2) téng 疼	tóu téng 头疼	yǎnjing téng 眼睛疼	dùzi téng 肚子疼
3) bìng 病	bìng le 病了	wǒ bìng le 我病了	
4) gǎnmào 感冒	gǎnmào le 感冒了	wǒ gǎnmào le 我感冒了	
5) shūfu 舒服	bù shūfu 不舒服	yǎnjing bù shūfu 眼睛不舒服	dùzi yě bù shūfu 肚子也不舒服
6) lèi 累	lèi le 累了	hěn lèi 很累	tài lèi le 太累了

4. Make dialogues according to the pictures below.

1)

2)

3)

Nǐ bù shūfu ma?
A: 你不舒服吗？

Wǒ bù shūfu.
B: 我不舒服。

Shénme dìfang bù shūfu?
A: 什么地方不舒服？

… bù shūfu.
B: ……不舒服。

4)

A: ……？

Wǒ bù shūfu.
B: 我不舒服。

Shénme dìfang bù shūfu?
A: 什么地方不舒服？

… bù shūfu.
B: ……不舒服。

5. Read and match.

Wǒ bìng le.
1) 我病了。

Wǒ yǎnjing bù shūfu.
2) 我眼睛不舒服。

Wǒ tóu téng.
3) 我头疼。

Wǒ gǎnmào le.
4) 我感冒了。

Wǒ dùzi téng.
5) 我肚子疼。

a)

b)

c)

d)

e)

6. Translate the following sentences.

1) Jim bìng le, tā bú qù tī zúqiú, tā qù yīyuàn.
Jim病了，他不去踢足球，他去医院。

2) Wǒ gǎnmào le, tóu téng, yǎnjing yě téng.
我感冒了，头疼，眼睛也疼。

3) Lìli de dùzi hěn bù shūfu, tā bù xiǎng chī fàn.
丽丽的肚子很不舒服，她不想吃饭。

4) Shàngxīngqī zuòyè tài duō le, wǒ hěn lèi.
上星期作业太多了，我很累。

5) Lǎoshī, jīntiān Mike bìng le, tā gǎnmào le.
老师，今天Mike病了，他感冒了。

7. Write the characters.

病

头

疼

肚

服

单元小结

1. 某天＋（不）是＋晴天	例句：今天是晴天。 昨天不是晴天。
2. 某天＋有＋天气情况	例句：明天有小雨。 昨天有风。
3. 某地＋的＋时间词语＋常常＋天气情况	例句：北京的春天常常有风。 上海的秋天常常有雨。
4. 时间词语＋是＋某地＋最好的＋季节	例句：秋天是北京最好的季节。 春天是上海最好的季节。
5. 某地＋的＋时间词语＋不冷也不热	例句：北京的秋天不冷也不热。 香港的春天不冷也不热。
6. 某人＋在＋某处＋里＋动词（＋词组）	例句：奶奶在公园里散步。 哥哥在厨房里吃面条儿。 学生在教室里学习汉语。
7. 某人＋在＋某处＋上＋动词（＋词组）	例句：孩子在草地上跑。 运动员在运动场上打篮球。
8. 某人＋每天＋时间词语＋在＋某处＋动词（＋词组）	例句：爷爷每天早上在湖边打太极拳。 我每天晚上在房间上网。
9. 某人＋动词（＋词组）＋了	例句：他病了。 我感冒了。
10. 身体某处＋疼	例句：头疼。 肚子疼。
11. 身体某处＋不舒服	例句：眼睛不舒服。 肚子不舒服。

Physical Exercise in China

Many Chinese like to rise early in the morning and go out to do some forms of physical exercise, especially the older generation, who frequently go out soon after sunrise to parks or city squares or lakes, to do *taijiquan* or other forms of exercise.

Throughout the day, it is common to see people exercising outdoors on gymnastic equipment. Most communities have simple gymnastic facilities nearby, where residents can go to work out at any time of day.

There are also a number of traditional forms of exercise in China, such as kicking a shuttle-cock and skipping rope. In the last few decades, exercising with a *taiji* exercise ball or a *gongfu* fan have also become popular forms of exercise.

Evenings are often a time for group exercise. People frequently gather in a square or an open area near their homes to do group gymnastics or dance together.

Unit Six Fashion and Entertainment

第六单元 时尚与娱乐

第十六课　我喜欢你衣服的颜色

Learning Objectives

- Ask about colour preferences.
- Talk about your favourite colour.

New Words

1. 颜色 (yánsè) colour
2. 流行 (liúxíng) popular
3. 穿 (chuān) to wear, to put on
4. 白（色）(bái (sè)) white
5. 越来越 (yuè lái yuè) more and more
6. 黄（色）(huáng (sè)) yellow
7. 红（色）(hóng (sè)) red
8. 黑（色）(hēi (sè)) black
9. 鞋 (xié) shoes
10. 裤子 (kùzi) trousers
11. 新 (xīn) new
12. 蓝（色）(lán (sè)) blue

Sentence Patterns

1. Wǒ xǐhuan nǐ yīfu de yánsè.
我喜欢你衣服的颜色。
2. Zhè shì jīnnián zuì liúxíng de yánsè.
这是今年最流行的颜色。
3. Wǒmen chuān báisè de yùndòngxié.
我们穿白色的运动鞋。
4. Wǒmen sì diǎn kāishǐ tī zúqiú.
我们四点开始踢足球。
5. Rén yuè lái yuè duō.
人越来越多。
6. Wǒ yuè lái yuè xǐhuan Běijīng.
我越来越喜欢北京。

Using in Context

1) A: Ann, nǐ de yīfu zhēn piàoliang!
A: Ann，你的衣服真漂亮！
B: Xièxie!
B: 谢谢！
A: Wǒ xǐhuan nǐ yīfu de yánsè.
A: 我喜欢你衣服的颜色。
B: Zhè shì jīnnián zuì liúxíng de huángsè.
B: 这是今年最流行的黄色。

Jīntiān tī zúqiú, wǒmen bān chuān hóngsè de yīfu, báisè de
2) 今天踢足球，我们班穿红色的衣服，白色的
yùndòngxié. Tāmen bān chuān hēisè de yīfu, yě chuān báisè de
运动鞋。他们班穿黑色的衣服，也穿白色的
yùndòngxié. Hěn duō xuéshēng lái kàn zúqiú, wǒmen sì diǎn kāishǐ
运动鞋。很多学生来看足球，我们四点开始
tī zúqiú, xiànzài rén yuè lái yuè duō.
踢足球，现在人越来越多。

1. Number the pictures and words in the order that you hear.

			①	
chuān 穿	yánsè 颜色	yuè lái yuè 越来越	xīn 新	yīfu 衣服

2. Listen and choose.

① ② ③

			喜欢
Ann	②		
小海			

3. Read aloud.

1) hóng 红 | hóng kùzi 红裤子 | Ann chuān hóng kùzi Ann 穿红裤子

2) huáng 黄 | huáng yīfu 黄衣服 | Mary xǐhuan huáng yīfu Mary喜欢黄衣服

3) báisè 白色 | báisè de yùndòngxié 白色的运动鞋 | Xiǎohǎi chuān báisè de yùndòngxié 小海穿白色的运动鞋

4) yuè lái yuè 越来越 | Běijīng yuè lái yuè piàoliang 北京越来越漂亮 | wǒ yuè lái yuè xǐhuan Běijīng 我越来越喜欢北京

Hànyǔkè yuè lái yuè yǒu yìsi 汉语课越来越有意思 | wǒ de Hànyǔ yuè lái yuè hǎo 我的汉语越来越好

4. Complete the dialogues according to the pictures below.

1)

2)

Ann, jīntiān wǎnshang nǐ chuān shénme yánsè de yīfu?
Ann，今天晚上你穿什么颜色的衣服？

生日快乐

Wǒ chuān báisè de yīfu.
我穿白色的衣服。

Nǐ chuān shénme yánsè de xié?
你穿什么颜色的鞋？

Wǒ chuān hēisè de xié.
我穿黑色的鞋。

3)

4)

Xiǎohóng, míngtiān tǐyùkè
小红，明天体育课
nǐ chuān de yīfu?
你穿______的衣服?

______。

Nǐ chuān de xié?
你穿______的鞋?

______。

5)

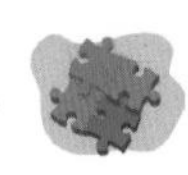

5. Match the Chinese with the English.

1) hóngsè 红色	a) shoes
2) báisè 白色	b) colour
3) yánsè 颜色	c) black
4) xīn 新	d) popular
5) xié 鞋	e) to wear, to put on
6) kùzi 裤子	f) new
7) liúxíng 流行	g) red
8) chuān 穿	h) trousers
9) yuè lái yuè 越来越	i) yellow
10) lánsè 蓝色	j) more and more
11) huángsè 黄色	k) white
12) hēisè 黑色	l) blue

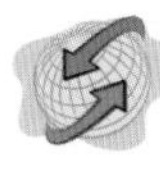

6. Translate the following sentences.

1) Jīntiān Ann chuān yí jiàn lán yīfu, wǒ xǐhuan Ann de yīfu de yánsè.
今天Ann穿一件蓝衣服，我喜欢Ann的衣服的颜色。

2) Zuótiān wǒ mǎile xīn xié, wǒ xǐhuan hēisè de xié.
昨天我买了新鞋，我喜欢黑色的鞋。

3) Jīntiān wǒmen shàngle Hànyǔkè, Hànyǔkè yuè lái yuè yǒu yìsi.
今天我们上了汉语课，汉语课越来越有意思。

4) Wǒ jiā de huāyuán li yǒu hěn duō hóng huā, xiànzài huāyuán yuè lái yuè piàoliang.
我家的花园里有很多红花，现在花园越来越漂亮。

7. Practice your pronunciation.

Gāogāo Shān shang Yì Tiáo Téng
高高山上一条藤

The Vine on the High Mountain

Gāogāo shān shang yì tiáo téng,
高高山上一条藤，
Téngtiáo tóu shang guà tónglíng.
藤条头上挂铜铃。
Fēng chuī téng dòng tónglíng dòng,
风吹藤动铜铃动，
Fēng tíng téng tíng tónglíng tíng.
风停藤停铜铃停。

On a high mountain there is a vine.
On the vine's end hangs a copper bell.
When the wind blows, the vine and bell move.
When the wind stops, the vine and bell are still.

8. Write the characters.

红

色

新

运

动

第十七课　我跟爸爸一样喜欢京剧

Learning Objectives

- Talk about Beijing Opera.
- Talk about buying tickets for an opera show.
- Learn the measure word "*zhang* (张)".

New Words

1. jùyuàn 剧院 theatre
2. jīngjù 京剧 Beijing Opera
3. piào 票 ticket
4. zhāng 张 (a measure word for ticket, paper, map, disc, table, etc.)
5. gāoxìng 高兴 happy, glad
6. chàngpiàn 唱片 record, (vinyl) disc
7. niánqīngrén 年轻人 young people, younger generation
8. lǎoniánrén 老年人 old people, older generation
9. biǎoyǎn 表演 performance

Sentence Patterns

1. Xīngqīliù nǐ qù jùyuàn kàn jīngjù ma?
星期六你去剧院看京剧吗？
2. Wǒ hé bàba qù jùyuàn kàn jīngjù.
我和爸爸去剧院看京剧。
3. Wǒ gēn bàba yíyàng xǐhuan jīngjù.
我跟爸爸一样喜欢京剧。
4. Jīngjùpiào bú guì.
京剧票不贵。
5. Zhè shì yí gè xīn diànyǐng.
这是一个新电影。

Using in Context

1) A: Nǐ xǐhuan jīngjù ma?
你喜欢京剧吗？

B: Wǒ xǐhuan jīngjù.
我喜欢京剧。

Xīngqīliù nǐ qù kàn jīngjù ma?
A: 星期六你去看京剧吗?

Wǒ qù kàn jīngjù.
B: 我去看京剧。

Nǐ yǒu piào ma?
A: 你有票吗?

Wǒ yǒu piào.
B: 我有票。

Jīntiān shì xīngqīliù, bàba qù jùyuàn kàn jīngjù, tā yǒu liǎng zhāng piào,
2) 今天是星期六，爸爸去剧院看京剧，他有两张票，
wǒ yě qù, wǒ hěn gāoxìng! Bàba xǐhuan jīngjù, wǒ gēn bàba yíyàng
我也去，我很高兴！爸爸喜欢京剧，我跟爸爸一样
xǐhuan jīngjù. Jùyuàn zài diànyǐngyuàn pángbiān, bàba kāichē qù.
喜欢京剧。剧院在电影院旁边，爸爸开车去。

1. Number the pictures in the order that you hear.

____

____

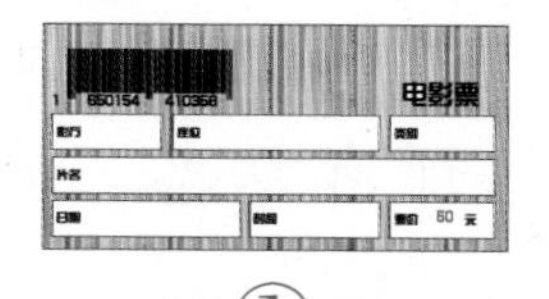

①

____

____

____

____

____

2. Listen and mark with √ or ×.

	(Peking opera)	(ticket)	(record)	(theatre)
wǒ 我	×			
bàba 爸爸	√			

3. Read aloud.

1) chàngpiàn 唱片　　piào 票

Wǒ yǒu yì zhāng chàngpiàn, shì jīngjù de chàngpiàn.
我有一张唱片，是京剧的唱片。

Wǒ mǎile sān zhāng piào, wǒ hé bàba māma qù kàn jīngjù.
我买了三张票，我和爸爸妈妈去看京剧。

2) jīngjù 京剧　　shūfǎ 书法　　tàijíquán 太极拳

Bàba qù jùyuàn kàn jīngjù.
爸爸去剧院看京剧。

Māma qù xuéxiào xuéxí shūfǎ.
妈妈去学校学习书法。

Yéye qù hú biān dǎ tàijíquán, nǎinai yě qù hú biān dǎ tàijíquán.
爷爷去湖边打太极拳，奶奶也去湖边打太极拳。

3) Déyǔkè 德语课　　Fǎyǔkè 法语课　　Hànyǔkè 汉语课

Déyǔkè yǒu yìsi, wǒ xǐhuan Déyǔkè.
德语课有意思，我喜欢德语课。

Fǎyǔkè hěn róngyì, tā xǐhuan Fǎyǔkè.
法语课很容易，她喜欢法语课。

Hànyǔkè hěn róngyì, yě hěn yǒu yìsi, wǒ gēn tā yíyàng xǐhuan Hànyǔkè.
汉语课很容易，也很有意思，我跟她一样喜欢汉语课。

4. Complete the dialogues according to the pictures below.

1)

2)

Nǐ bàba xǐhuan ma?
你爸爸喜欢________吗?
Wǒ bàba
我爸爸________。
Nǐ ne?
你呢?
Wǒ gēn bàba yíyàng xǐhuan jīngjù.
我跟爸爸一样喜欢京剧。

3)

Nǐ qù nǎr?
你去哪儿?
kàn diànyǐng,
________看电影,
zhè shì yí gè xīn diànyǐng.
这是一个新电影。
Nǐ yǒu jǐ zhāng
你有几张________?
________。

4)

________。
Lǎoniánrén
老年人________?
Niánqīngrén
年轻人________?
________。

5. Match the Chinese with the English.

1) 表演 (biǎoyǎn)	a) old people
2) 年轻人 (niánqīngrén)	b) Beijing Opera
3) 老年人 (lǎoniánrén)	c) ticket
4) 京剧 (jīngjù)	d) young people
5) 剧院 (jùyuàn)	e) record
6) 票 (piào)	f) theatre
7) 唱片 (chàngpiàn)	g) happy
8) 高兴 (gāoxìng)	h) performance

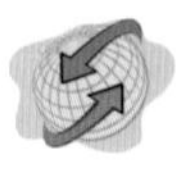

6. Translate the following sentences.

1) Wǒ xiǎng kàn jīngjù, bàba xīngqīsì qù mǎi piào, wǒ hěn gāoxìng.
我想看京剧，爸爸星期四去买票，我很高兴。

2) Wǒ yǒu sān zhāng jīngjù chàngpiàn, yě yǒu jǐ zhāng yīnyuè chàngpiàn.
我有三张京剧唱片，也有几张音乐唱片。

3) Xīngqīwǔ wǎnshang, bàba、 māma hé wǒ qù jùyuàn kàn jīngjù, bàba mǎile sān zhāng piào.
星期五晚上，爸爸、妈妈和我去剧院看京剧，爸爸买了三张票。

4) Wǒ hěn xǐhuan jīngjù biǎoyǎn, wǒ xiǎng zuò jīngjù yǎnyuán.
我很喜欢京剧表演，我想做京剧演员。

5) Mike xǐhuan jīngjù, Ann xǐhuan shūfǎ, Ann gēn Mike yíyàng xǐhuan Zhōngguó.
Mike 喜欢京剧，Ann 喜欢书法，Ann 跟 Mike 一样喜欢中国。

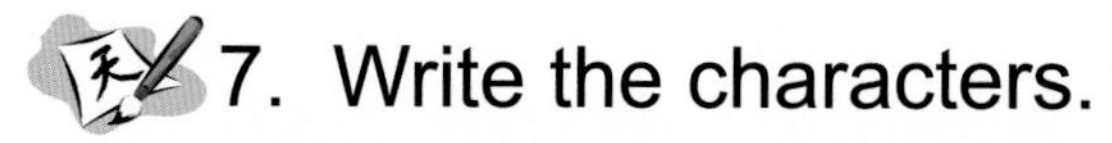

7. Write the characters.

第十八课　音乐会快要开始了

Learning Objectives

- Talk about music preferences.
- Talk about musical hobbies.

New Words

1. 音乐会 (yīnyuèhuì) concert
2. 快要 (kuàiyào) to be about to, to be going to
3. 都 (dōu) all
4. 订票 (dìng piào) to reserve a ticket
5. 休息 (xiūxi) to have a rest, to have a break
6. 听 (tīng) to listen
7. 回 (huí) to return
8. 等 (děng) to wait for

Sentence Patterns

1. Yīnyuèhuì kuàiyào kāishǐ le.
   音乐会快要开始了。
2. Wǒmen zǒu ba.
   我们走吧。
3. Měi zhāng CD dōu hěn hǎo.
   每张CD都很好。
4. Měi gè rén dōu xǐhuan Zhōngguó yīnyuè.
   每个人都喜欢中国音乐。
5. Nǐmen zěnme dìng piào?
   你们怎么订票?

Using in Context

1) A: Jīntiān wǎnshang yǒu yí gè Zhōngguó yīnyuèhuì, nǐ qù ma?
   今天晚上有一个中国音乐会，你去吗?

   B: Wǒ qù, nǐ ne?
   我去，你呢?

   A: Wǒ yě qù.
   我也去。

   B: Yīnyuèhuì jǐ diǎn kāishǐ?
   音乐会几点开始?

   A: Wǎnshang bā diǎn.
   晚上八点。

   B: Yīnyuèhuì kuàiyào kāishǐ le, wǒmen zǒu ba!
   音乐会快要开始了，我们走吧!

Jīntiān shì xīngqīliù, wǒmen xiūxi. Wǒ hé péngyou qù tīng yīnyuèhuì,
2) 今天是星期六，我们休息。我和朋友去听音乐会，

zhè shì yí gè Zhōngguó yīnyuèhuì. Wǒmen dōu xǐhuan Zhōngguó yīnyuè. Wǒ
这是一个中国音乐会。我们都喜欢中国音乐。我

mǎile hěn duō Zhōngguó yīnyuè de CD. Měi zhāng CD dōu hěn hǎo.
买了很多中国音乐的CD。每张CD都很好。

1. Number the words in the order that you hear.

音乐会 (concert)	快要 (to be about to, to be going to)	都 (all)	听 (to listen)
	①		
订票 (to reserve a ticket)	开始 (to begin)	休息 (to have a rest, to have a break)	回 (to return)

2. Listen and mark with √ or ×.

	jīntiān 今天	wǎnshang bā diǎn 晚上八点	wǒmen qù tīng 我们去听	mǎi CD 买CD
Zhōngguó yīnyuè 中国音乐	√			
Yīngguó yīnyuè 英国音乐	×			

3. Read aloud.

1)
měi píng 每瓶 | měi jīn 每斤 | měi jiàn 每件 | měi gè 每个

měi zhī 每只 | měi zhī xiǎo māo dōu hěn piàoliang 每只小猫都很漂亮

měi tiān 每天 | měi tiān dōu yǒu zuòyè 每天都有作业

měi xīngqī 每星期 | měi xīngqī dōu yǒu kǎoshì 每星期都有考试

měi nián 每年 | měi nián dōu qù Zhōngguó 每年都去中国

měi gè rén 每个人 | měi gè rén dōu xǐhuan Zhōngguó yīnyuè 每个人都喜欢中国音乐

měi zhāng CD 每张CD | měi zhāng CD dōu hěn hǎo 每张CD都很好

měi gè fángjiān 每个房间 | měi gè fángjiān dōu hěn gānjìng 每个房间都很干净

2) shàngkè 上课 | gōngzuò 工作 | xiūxi 休息

3) huí jiā 回家 | huí Zhōngguó 回中国 | huí Yīngguó 回英国

4) děng 等 | děng bàba 等爸爸 | děng bàba qù kàn jīngjù 等爸爸去看京剧

5) tīng 听 | tīng chàngpiàn 听唱片 | tīng yīnyuèhuì 听音乐会

6)
bǐsài kuàiyào kāishǐ le 比赛快要开始了 | yīnyuèhuì kuàiyào kāishǐ le 音乐会快要开始了

Hànyǔkè kuàiyào kāishǐ le 汉语课快要开始了 | jīngjù biǎoyǎn kuàiyào kāishǐ le 京剧表演快要开始了

4. Complete the dialogues according to the pictures below.

1) A: Xiànzài jǐ diǎn? 现在几点？

B: Liǎng diǎn bàn. 两点半。

A: Bǐsài kuàiyào kāishǐ le. 比赛快要开始了。

B: Wǒmen zǒu ba! 我们走吧！

2) A: Shéi xiǎng kàn jīngjù? 谁想看京剧？

B: Wǒ xiǎng kàn, 我想看，__________ hé 和 __________

yě 也 __________。

A: Nǐmen zěnme dìng piào? 你们怎么订票？

B: __________ shàngwǎng dìngpiào. 上网订票。

3) A: __________ zúqiú bǐsài? 足球比赛？

B: __________, bàba、māma 爸爸、妈妈

hé jiějie 和姐姐 __________。

A: Měi 每 __________ dōu 都 __________。

B: __________ dìng piào? 订票？

A: __________。

5. Match the Chinese with the English.

1) 音乐会 (yīnyuèhuì)	a) all
2) 快要 (kuàiyào)	b) concert
3) 都 (dōu)	c) to have a rest, to have a break
4) 听 (tīng)	d) to wait for
5) 开始 (kāishǐ)	e) to return
6) 休息 (xiūxi)	f) to begin, to start
7) 回 (huí)	g) to listen
8) 等 (děng)	h) to be about to, to be going to

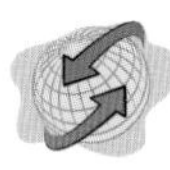

6. Translate the following sentences.

1) Yīnyuèhuì kuàiyào kāishǐ le, wǒmen zǒu ba!
音乐会快要开始了，我们走吧！

2) Wǒ zài xuéxiào děng māma, wǔ diǎn māma hé wǒ kāichē qù kàn diànyǐng.
我在学校等妈妈，五点妈妈和我开车去看电影。

3) Wǒmen jiā gēn Ann jiā yíyàng, měi gè rén dōu xǐhuan Zhōngguó yīnyuè.
我们家跟Ann家一样，每个人都喜欢中国音乐。

4) Nǐ xiǎng hē kāfēi ma? Kuàiyào xiūxi le, wǒ qù mǎi kāfēi.
你想喝咖啡吗？快要休息了，我去买咖啡。

5) Wǒmen qù tǐyùguǎn kàn tàijíquán biǎoyǎn, wǒmen bān dōu qù, nǐmen bān ne?
我们去体育馆看太极拳表演，我们班都去，你们班呢？

6) Jīntiān de Zhōngguó yīnyuèhuì zhēn hǎo! Měi gè rén dōu hěn gāoxìng!
今天的中国音乐会真好！每个人都很高兴！

7. Write the characters.

回	丨	冂	冂	冋	冋	回				
快	丶	丷	忄	忄	忄	忄	快			
订	丶	讠	讠	订						
听	丨	口	口	口	口	口	听			
休	丿	亻	亻	什	什	休				

单元小结

1. 某人$_1$＋喜欢＋某人$_2$＋某物＋的颜色	例句：我喜欢她衣服的颜色。 小红喜欢小海运动鞋的颜色。
2. 这／那＋是＋今年＋最流行的＋名词	例句：这是今年最流行的颜色。 那是今年最流行的衣服。
3. 某人＋穿＋某颜色的服装	例句：小海穿红色的裤子。 我们穿白色的运动鞋。
4. 主语＋时间词＋开始＋动词＋宾语	例句：他们四点开始踢足球。 我们九点开始上汉语课。
5. 主语＋越来越＋形容词	例句：人越来越多。 北京越来越漂亮。
6. 主语＋越来越＋动词＋宾语	例句：她越来越喜欢北京。 我们越来越喜欢汉语课。
7. 某人$_1$＋和＋某人$_2$＋去＋某地＋动词＋宾语	例句：我和爸爸去剧院看京剧。 爷爷和奶奶去湖边打太极拳。
8. 某人$_1$＋跟＋某人$_2$＋一样＋喜欢＋宾语	例句：我跟爸爸一样喜欢京剧。 我跟他一样喜欢汉语课。
9. 主语＋快要＋动词＋了	例句：比赛快要开始了。 京剧表演快要开始了。
10. 每个＋名词＋都＋很＋形容词／动词＋宾语	例句：每张CD都很好。 每个人都喜欢中国音乐。
11. 主语＋怎么＋动词（＋宾语）	例句：我们怎么订票？ 我们怎么去中国？

Facial Symbolism in Beijing Opera

Beijing Opera makes great use of facial make-up, not only to identify different historical characters represented in the performances, but also to indicate the character qualities associated with the different roles. The ornamentation of the facial designs makes use of design but also of colour.

The primary colours of the actors' faces have particularly strong associations in Beijing Opera. Red generally indicates devotion, chivalry and courage. Black signifies uprightness, selflessness and a grave attitude, but can also symbolize might, rudeness and outspokenness. Yellow represents a bold and easily irritated personality, while blue and green suggest a staunch and tenacious, yet also irritable, personality. In contrast to its symbolism in Western culture, white symbolizes craftiness and suspicion.

Unit Seven Media

第七单元 媒体

第十九课 我跟你一起看

Learning Objectives

- Talk about TV programmes.
- Talk about someone's favourite activities.
- Talk about doing something together with others.

New Words

1. yìqǐ 一起 together
2. shíhou 时候 time
3. xīnwén 新闻 news
4. tiānqì 天气 weather
5. yùbào 预报 forecast
6. bǐsài 比赛 match, competition
7. hǎo 好 okay, all right
8. jiàoyù 教育 education
9. kàn shū 看书 reading; to read a book
10. xià yí gè 下一个 next
11. mǎshàng 马上 immediately

Sentence Patterns

1. Wǒ xǐhuan kàn diànshì jiémù.
我喜欢看电视节目。
2. Wǒ gēn nǐ yìqǐ kàn.
我跟你一起看。
3. Hǎo, wǒmen yìqǐ kàn.
好，我们一起看。
4. Tǐyù jiémù shénme shíhou kāishǐ?
体育节目什么时候开始？
5. Wǒ bù xǐhuan dǎ lánqiú.
我不喜欢打篮球。

Using in Context

1) A: Jīntiān yǒu shénme diànshì jiémù?
今天有什么电视节目？

B: Yǒu xīnwén hé tǐyù jiémù, hái yǒu tiānqì yùbào.
有新闻和体育节目，还有天气预报。

A: Wǒ bù xǐhuan kàn tiānqì yùbào, tǐyù jiémù shénme shíhou kāishǐ?
我不喜欢看天气预报，体育节目什么时候开始？

B: Bā diǎn kāishǐ, shì lánqiú bǐsài, wǒ gēn nǐ yìqǐ kàn.
八点开始，是篮球比赛，我跟你一起看。

A: Hǎo, wǒmen yìqǐ kàn.
好，我们一起看。

Wǒ hé bàba xǐhuan kàn tǐyù jiémù, wǒmen zuì xǐhuan kàn zúqiú.
2) 我和爸爸喜欢看体育节目，我们最喜欢看足球。
Māma xǐhuan kàn xīnwén hé tiānqì yùbào, hái xǐhuan kàn jiàoyù jié-
妈妈喜欢看新闻和天气预报，还喜欢看教育节
mù. Wǒ chángcháng gēn bàba yìqǐ kàn diànshì. Gēge bù xǐhuan
目。我常常跟爸爸一起看电视。哥哥不喜欢
kàn diànshì, tā xǐhuan kàn shū.
看电视，他喜欢看书。

1. Number the words in the order that you hear.

xīnwén 新闻	tǐyù 体育	tiānqì yùbào 天气预报	jiémù 节目
	①		
shénme shíhou 什么时候	yìqǐ 一起	jiàoyù 教育	bǐsài 比赛

2. Listen and mark each sentence with √ or ×.

Wǒ xǐhuan kàn tǐyù jiémù.
1) 我喜欢看体育节目。（　　）

Xīnwén qī diǎn kāishǐ.
2) 新闻七点开始。（　　）

Tā gēn māma yìqǐ kàn diànshì.
3) 他跟妈妈一起看电视。（　　）

3. Read and match.

1) 喜欢看京剧	a) shénme shíhou kāishǐ
2) 喜欢看书	b) xǐhuan kàn jīngjù
3) 不喜欢踢足球	c) wǒ gēn péngyou yìqǐ kàn bǐsài
4) 下一个节目	d) xīnwén jiémù mǎshàng kāishǐ
5) 新闻节目马上开始	e) shénme shíhou shàngkè
6) 什么时候开始	f) xià yí gè jiémù
7) 什么时候上课	g) xǐhuan kàn shū
8) 我跟朋友一起看比赛	h) bù xǐhuan tī zúqiú
9) 他跟爸爸一起去中国	i) tā gēn bàba yìqǐ qù Zhōngguó

4. Read the dialogues. Then make your own dialogues with the words and phrases below.

1) A：你喜欢看什么电视节目？（Nǐ xǐhuan kàn shénme diànshì jiémù?）

B：我喜欢看新闻。（Wǒ xǐhuan kàn xīnwén.）

A：新闻什么时候开始？（Xīnwén shénme shíhou kāishǐ?）

B：新闻七点开始。（Xīnwén qī diǎn kāishǐ.）

tiānqì yùbào 天气预报	19:30
tǐyù jiémù 体育节目	20:00
jiàoyù jiémù 教育节目	20:30
tǐyù bǐsài 体育比赛	21:00

2) A： Wǒ xiǎng qù shāngdiàn, nǐ xiǎng qù ma?
我想去商店，你想去吗？

B： Shénme shíhou qù?
什么时候去？

A： Xiànzài.
现在。

B： Hǎo, wǒ gēn nǐ yìqǐ qù.
好，我跟你一起去。

qù túshūguǎn 去图书馆	jīntiān wǎnshang 今天晚上
kàn diànyǐng 看电影	míngtiān wǎnshang 明天晚上
qù Běijīng 去北京	jīnnián qiūtiān 今年秋天

5. Match the Chinese with the English.

1) Zúqiú bǐsài shénme shíhou kāishǐ?
足球比赛什么时候开始？

2) Jīntiān yǒu jiàoyù jiémù ma?
今天有教育节目吗？

3) Xià yí gè jiémù shì shénme?
下一个节目是什么？

4) Tǐyù jiémù mǎshàng kāishǐ, gēn wǒ yìqǐ kàn ba.
体育节目马上开始，跟我一起看吧。

5) Wǒ jiějie bù xǐhuan kàndiànshì, tā xǐhuan kànshū.
我姐姐不喜欢看电视，她喜欢看书。

a) The sports show is about to start, come and watch it with me.

b) When will the football match begin?

c) Are there any educational programmes today?

d) My sister doesn't like watching TV. She likes reading.

e) What is the next programme?

6. Translate the following sentences.

1) Wǒ bù xǐhuan dǎ lánqiú, gēge yě bù xǐhuan dǎ lánqiú, wǒ tiāntiān gēn tā yìqǐ tī zúqiú.
我不喜欢打篮球，哥哥也不喜欢打篮球，我天天跟他一起踢足球。

2) Wǒmen dōu xǐhuan kàn diànshì, bàba xǐhuan kàn tǐyù jiémù, māma xǐhuan kàn jiàoyù jiémù, wǒ xǐhuan kàn xīnwén hé zúqiú bǐsài.
我们都喜欢看电视，爸爸喜欢看体育节目，妈妈喜欢看教育节目，我喜欢看新闻和足球比赛。

3) Wǒ xǐhuan kàn Zhōngguó diànyǐng, yě xǐhuan xuéxí Hànyǔ, wǒ xiǎng jīnnián qù
我喜欢看中国电影，也喜欢学习汉语，我想今年去
Běijīng, nǐ ne? Nǐ xiǎng qù Běijīng ma? Nǐ xiǎng shénme shíhou qù?
北京，你呢？你想去北京吗？你想什么时候去？

4) Xiànzài qī diǎn, wǒmen xǐhuan de tǐyù jiémù mǎshàng kāishǐ, wǒ yào gēn
现在七点，我们喜欢的体育节目马上开始，我要跟
bàba yìqǐ kàn. Māma bù xǐhuan kàn zhège jiémù, tā xǐhuan kàn shū.
爸爸一起看。妈妈不喜欢看这个节目，她喜欢看书。

5) Běijīng yǒu sì gè jìjié. Xiànzài shì xiàtiān, xià yí gè jìjié shì qiūtiān.
北京有四个季节。现在是夏天，下一个季节是秋天。
Qiūtiān shì Běijīng zuì hǎo de jìjié, wǒ xiǎng gēn bàba māma yìqǐ qù Běijīng.
秋天是北京最好的季节，我想跟爸爸妈妈一起去北京。

7. Practice your pronunciation.

Yì nián zhī jì zàiyú chūn,
一年之计在于春，
Yí rì zhī jì zàiyú chén.
一日之计在于晨。

The most important time of the year is spring.
The most important time of the day is morning.

8. Write the characters.

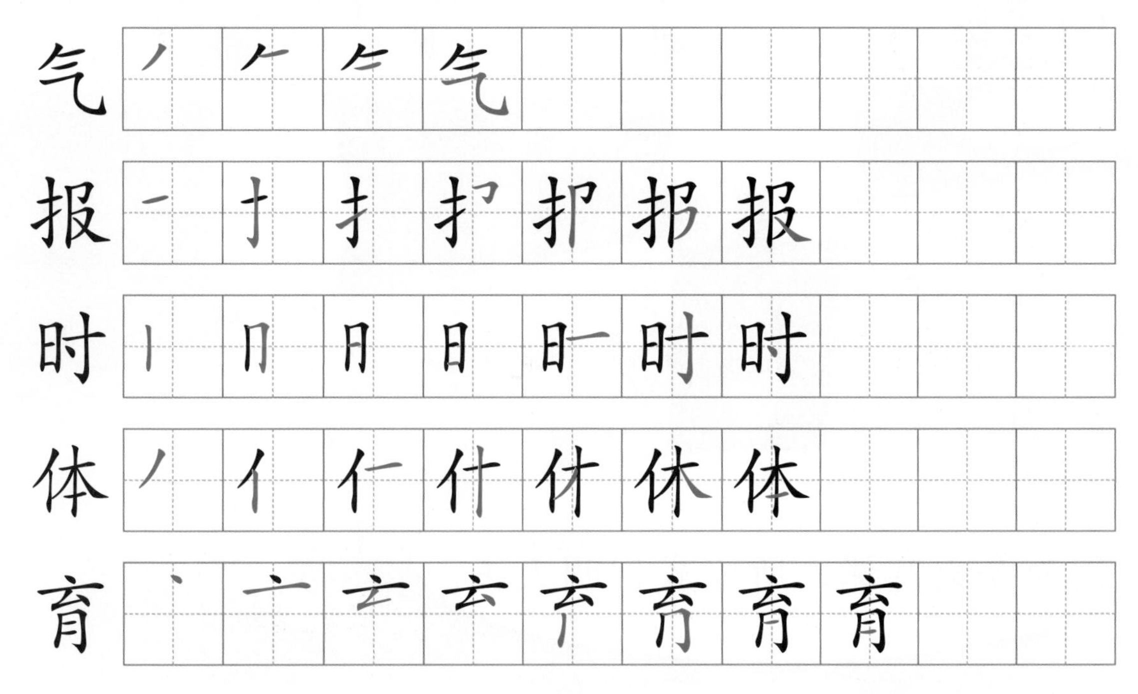

第二十课　他的表演好极了

Learning Objectives

- Talk about movies.
- Talk about actors or actresses.
- Explain reasons and results.

New Words

1. 极 (jí) extremely
2. 亚洲 (Yàzhōu) Asia
3. 有名 (yǒumíng) famous
4. 欧洲 (Ōuzhōu) Europe
5. 因为 (yīnwèi) because
6. 所以 (suǒyǐ) so, therefore
7. 非常 (fēicháng) very, extremely
8. 法国 (Fǎguó) France
9. 歌星 (gēxīng) star singer
10. 他们的 (tāmen de) their; theirs
11. 国际 (guójì) international

Sentence Patterns

1. Tā de biǎoyǎn hǎo jí le!
他的表演好极了！

2. Tā shì Yàzhōu de.
他是亚洲的。

3. Tā shì Zhōngguó zuì yǒumíng de yǎnyuán.
他是中国最有名的演员。

4. Zhège diànyǐng shì Ōuzhōu de.
这个电影是欧洲的。

5. Yīnwèi jīntiān yǒu kè, suǒyǐ wǒmen jīntiān bú qù, wǒmen míngtiān qù.
因为今天有课，所以我们今天不去，我们明天去。

Using in Context

1) A: Wǒ jīntiān kànle Chéng Lóng de diànyǐng, tā de biǎoyǎn hǎo jí le!
我今天看了成龙的电影，他的表演好极了！

B: Chéng Lóng shì Xiānggǎng de yǎnyuán ba?
成龙是香港的演员吧？

A: Shì, tā shì Yàzhōu zuì yǒumíng de yǎnyuán, yě shì guójì yǒumíng de yǎnyuán.
是，他是亚洲最有名的演员，也是国际有名的演员。

B: Wǒ yě xiǎng kàn tā de diànyǐng.
我也想看他的电影。

Xiànzài diànyǐngyuàn yǒu yí gè fēicháng hǎokàn de diànyǐng, shì Fǎguó de,
2) 现在电影院有一个非常好看的电影，是法国的，
wǒ xiǎng gēn péngyou yìqǐ qù kàn. Yīnwèi jīntiān yǒu kè, suǒyǐ wǒmen
我想跟朋友一起去看。因为今天有课，所以我们
jīntiān bú qù, wǒmen míngtiān qù.
今天不去，我们明天去。

1. Mark the words that you hear.

diànyǐng 电影	yǒumíng 有名	yǎnyuán 演员	Yàzhōu 亚洲	Ōuzhōu 欧洲
√				
guì jí le 贵极了	guójì 国际	Yīngwén 英文	yīnwèi 因为	suǒyǐ 所以

2. Listen and mark each sentence with √ or ×.

Tā de biǎoyǎn hěn hǎo.
1） 他的表演很好。（ ）

Zhège diànyǐng shì Ōuzhōu de.
2） 这个电影是欧洲的。（ ）

Tā hěn yǒumíng.
3） 他很有名。（ ）

Wǒ jīntiān gǎnmào le.
4） 我今天感冒了。（ ）

3. Read and match.

1)	有名的地方	a)	zhè shì Yàzhōu de
2)	亚洲的电影	b)	Yàzhōu de diànyǐng
3)	非常高兴	c)	yǒumíng de gēxīng
4)	他的表演好极了	d)	yīnwèi tóu téng, suǒyǐ bú shàngkè
5)	漂亮极了	e)	yǒumíng de dìfang
6)	这是亚洲的	f)	tā de biǎoyǎn hǎo jí le
7)	因为头疼，所以不上课	g)	piàoliang jí le
8)	有名的歌星	h)	fēicháng gāoxìng

4. Read the dialogues. Then make your own dialogues with the words and phrases below.

1) A: Zhè shì Fǎguó diànyǐng ma?
这是法国电影吗？

B: Bú shì, zhè shì Zhōngguó de.
不是，这是中国的。

A: Zhōngguó diànyǐng hǎokàn ma?
中国电影好看吗？

B: Hǎokàn, tāmen de biǎoyǎn hǎo jí le.
好看，他们的表演好极了。

Měiguó 美国	Ōuzhōu 欧洲
Ōuzhōu 欧洲	Yàzhōu 亚洲
Yīngwén 英文	Zhōngwén 中文

2) A: Zhège diànyǐng yǒumíng ma?
这个电影有名吗？

B: Hěn yǒumíng, zhè shì xiànzài zuì yǒumíng de diànyǐng.
很有名，这是现在最有名的电影。

A: Nǐ qù kàn ma?
你去看吗？

B: Yīnwèi jīntiān shàngkè, suǒyǐ wǒ míngtiān qù.
因为今天上课，所以我明天去。

diànshì jiémù 电视节目	tóu téng 头疼	jīntiān bú kàn 今天不看
jīngjù 京剧	bù shūfu 不舒服	míngtiān qù 明天去
tǐyù bǐsài 体育比赛	xià yǔ 下雨	jīntiān bú qù 今天不去

3) A：Tā shì shéi?
她是谁？

B：Tā shì Yàzhōu zuì yǒumíng de gēxīng.
她是亚洲最有名的歌星。

A：Nǐ xǐhuan kàn tā de biǎoyǎn ma?
你喜欢看她的表演吗？

B：Fēicháng xǐhuan, tā de biǎoyǎn fēicháng hǎo.
非常喜欢，她的表演非常好。

Ōuzhōu 欧洲	diànyǐng yǎnyuán 电影演员	diànyǐng 电影
Zhōngguó 中国	jīngjù yǎnyuán 京剧演员	biǎoyǎn 表演
wǒmen xuéxiào 我们学校	gēxīng 歌星	biǎoyǎn 表演

5. Match the Chinese with the English.

1) Zhè bú shì Ōuzhōu diànyǐng,
这不是欧洲电影，
zhè shì Yàzhōu de.
这是亚洲的。

2) Tā shì guójì zuì yǒumíng de
他是国际最有名的
yǎnyuán.
演员。

a) He is the most famous actor in the world.

b) This is not an European film, it's an Asian one.

3) Nàge dìfang piàoliang jí le. 那个地方漂亮极了。	c) That place is extremely beautiful.
4) Yīnwèi yǒu yìsi, suǒyǐ wǒmen xǐhuan. 因为有意思，所以我们喜欢。	d) His performance is extremely good, so we like his films.
5) Yīnwèi tā de biǎoyǎn hǎo jí le, suǒyǐ wǒmen xǐhuan tā de diànyǐng. 因为他的表演好极了，所以我们喜欢他的电影。	e) It's interesting, so we like it.
6) Tā shì yí gè fēicháng yǒumíng de gēxīng. 他是一个非常有名的歌星。	f) I like this actor very much. Whenever he has a new movie, I go to see it at once.
7) Wǒ fēicháng xǐhuan zhège yǎnyuán, tā yǒu xīn diànyǐng, wǒ mǎshàng qù kàn. 我非常喜欢这个演员，他有新电影，我马上去看。	g) He is a very famous singer.

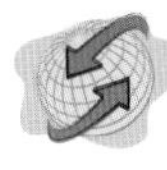

6. Translate the following sentences.

1) Tā shì Ōuzhōu zuì yǒumíng de yǎnyuán, wǒ xǐhuan kàn tā de diànyǐng, tā de biǎoyǎn hǎo jí le.
他是欧洲最有名的演员，我喜欢看他的电影，他的表演好极了。

2) Zhè shì yí gè guójì yǒumíng de diànyǐng, shì Yàzhōu de, diànyǐng fēicháng yǒu yìsi, wǒmen dōu xǐhuan kàn.
这是一个国际有名的电影，是亚洲的，电影非常有意思，我们都喜欢看。

3) Yīnwèi tā xǐhuan kàn Zhōngguó diànyǐng, suǒyǐ tā kāishǐ xuéxí Hànyǔ, tā hái xiǎng qù Zhōngguó.
因为他喜欢看中国电影，所以他开始学习汉语，他还想去中国。

4) Yīnwèi jīntiān xià yǔ, suǒyǐ bú zài yùndòngchǎng shàng tǐyùkè, wǒmen zài tǐyùguǎn xué tàijíquán, wǒmen gāoxìng jí le.
因为今天下雨，所以不在运动场上体育课，我们在体育馆学太极拳，我们高兴极了。

5) Tā shì Fǎguó de gēxīng, yě shì Ōuzhōu yǒumíng de gēxīng, wǒmen dōu fēicháng xǐhuan tā.
她是法国的歌星，也是欧洲有名的歌星，我们都非常喜欢她。

7. Write the characters.

极

因

为

所

以

第二十一课　你看广告没有

Learning Objectives

- Talk about advertisements.
- Talk about what someone has or hasn't done.

Nǐ kàn guǎnggào méiyǒu?
你看广告没有？

Wǒ xiǎng mǎi shǒujī, nǎge hǎo?
我想买手机，哪个好？

New Words

1. shǒujī 手机 mobile phone
2. guǎnggào 广告 advertisement
3. méi (yǒu) 没(有) not to have
4. shǒubiǎo 手表 watch
5. juéde 觉得 to feel; to think
6. dìtiě 地铁 underground
7. shōuyīnjī 收音机 radio
8. shìzhōngxīn 市中心 city centre
9. qiánbāo 钱包 wallet
10. tèbié 特别 especially; special
11. zhōngxīn 中心 centre

Sentence Patterns

1. Wǒ xiǎng mǎi yí gè shǒujī.
我想买一个手机。
2. Nǎge hǎo?
哪个好？
3. Nǐ kàn guǎnggào méiyǒu?
你看广告没有？
4. Wǒ méi kàn shǒujī de guǎnggào.
我没看手机的广告。
5. Wǒ kànle shǒubiǎo de guǎnggào.
我看了手表的广告。

Using in Context

1) A: Wǒ xiǎng mǎi yí gè shǒujī, nǐ juéde nǎge hǎo?
我想买一个手机，你觉得哪个好？

B: Zhège hǎo. Nǐ kàn guǎnggào méiyǒu? Zhè shì Ōuzhōu zuì hǎo de shǒujī.
这个好。你看广告没有？这是欧洲最好的手机。

A: Wǒ kàn le. Diànshì li yǒu zhège guǎnggào.
我看了。电视里有这个广告。

B: Dìtiě li yě yǒu.
地铁里也有。

Wǒ xǐhuan guǎnggào, xǐhuan kàn diànshì li de guǎnggào, yě xǐhuan tīng shōuyīn-
2) 我喜欢广告，喜欢看电视里的广告，也喜欢听收音

jī li de guǎnggào, měi gè guǎnggào dōu hěn yǒu yìsi. Wǒ jīntiān zài shì-
机里的广告，每个广告都很有意思。我今天在市

zhōngxīn kànle yí gè shǒubiǎo de guǎnggào, piàoliang jí le.
中心看了一个手表的广告，漂亮极了。

1. Number the pictures in the order that you hear.

2. Listen and mark each sentence with √ or ×.

Báisè de shǒujī hǎo.
1) 白色的手机好。（ ）

Shìzhōngxīn de guǎnggào bǐ dìtiě li de guǎnggào piàoliang.
2) 市中心的广告比地铁里的广告漂亮。（ ）

Tā méi kàn shǒubiǎo de guǎnggào.
3) 她没看手表的广告。（ ）

3. Read and match.

1) Wǒ kànle shǒubiǎo de guǎnggào.	a) 收音机里的广告
2) dìtiě li de yīnyuè	b) 我看了手表的广告。
3) shōuyīnjī li de guǎnggào	c) 他买票没有？
4) shìzhōngxīn de huāyuán	d) 市中心的花园
5) Tā mǎi piào méiyǒu?	e) 地铁里的音乐
6) Tā tèbié xǐhuan kàn guǎnggào.	f) 你看广告没有？
7) Nǐ kàn guǎnggào méiyǒu?	g) 他没有买钱包。
8) Tā méiyǒu mǎi qiánbāo.	h) 我觉得很好看。
9) Wǒ juéde hěn hǎokàn.	i) 这个广告很特别。
10) qù tǐyù zhōngxīn	j) 他特别喜欢看广告。
11) Zhège guǎnggào hěn tèbié.	k) 去体育中心

4. Read the dialogue. Then make your own dialogues with the words and phrases below.

Nǐ kàn guǎnggào méiyǒu?
A：你看广告没有？

Shénme guǎnggào?
B：什么广告？

Shǒubiǎo de guǎnggào, yǒu yìsi jí le.
A：手表的广告，有意思极了。

Wǒ méi kàn, nǐ gēn wǒ yìqǐ qù kàn ba.
B：我没看，你跟我一起去看吧。

mǎi shū 买书	Zhōngwénshū 中文书	qù mǎi 去买
kàn diànyǐng 看电影	Chéng Lóng de diànyǐng 成龙的电影	qù kàn 去看
mǎi piào 买票	jīngjùpiào 京剧票	qù mǎi 去买

5. Match the Chinese with the English.

1) Diànshì li yǒu guǎnggào, shōuyīnjī li yě yǒu guǎnggào.
电视里有 广告，收音机里也有 广告。

2) Nǐ kàn jīntiān de tiānqì yùbào méiyǒu?
你看今天的天气预报没有？

3) Wǒ xǐhuan kàn dìtiě li de guǎnggào.
我喜欢看地铁里的 广告。

4) Shìzhōngxīn yǒu liǎng gè huāyuán, nǐ juéde nǎge piàoliang?
市中心有 两个花园，你觉得哪个漂亮？

5) Nǐ de diànnǎo gēn tā de bù yíyàng, nǎge hǎo?
你的电脑跟他的不一样，哪个好？

6) Wǒ méi mǎi xīn qiánbāo, wǒ juéde tài guì le.
我没买新钱包，我觉得太贵了。

7) Wǒ tèbié xǐhuan zhège diànyǐng de guǎnggào, wǒ yào qù kàn zhège diànyǐng.
我特别喜欢这个电影的广告，我要去看这个电影。

a) There are two gardens in the city centre. Which one do you think is nicer?

b) Did you see today's weather forecast?

c) There are advertisements on TV and on the radio.

d) Your computer is different from his. Which is better?

e) I didn't buy the new wallet. I think it's too expensive.

f) I like the advertisement of this movie very much. I want to go to see this movie.

g) I like watching advertisements in the underground.

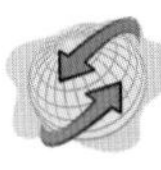

6. Translate the following sentences.

1) Dìtiě li yǒu guǎnggào, qìchē shang yě yǒu guǎnggào, nǎge guǎnggào yǒu yìsi?
地铁里有广告，汽车上也有广告，哪个广告有意思？

2) Nǐ kàn shìzhōngxīn de guǎnggào méiyǒu? Nà shì yí gè yùndòngxié de guǎnggào, hǎo jí le!
你看市中心的广告没有？那是一个运动鞋的广告，好极了！

Shōuyīnjī li yǒu yīnyuè, shì Yàzhōu de yīnyuè, fēicháng yǒu yìsi. Diànshì li

3) 收音机里有音乐，是亚洲的音乐，非常有意思。电视里

yǒu méiyǒu zhège yīnyuè?

有没有这个音乐？

Nǐ kàn diànshì méiyǒu? Diànshì li yǒu zhège shǒubiǎo de guǎnggào. Zhège shǒubiǎo shì

4) 你看电视没有？电视里有这个手表的广告。这个手表是

Ōuzhōu zuì hǎo de shǒubiǎo, guì jí le.

欧洲最好的手表，贵极了。

Wǒ juéde tā shì Yàzhōu zuì hǎo de yǎnyuán, tā de diànyǐng hěn tèbié, yě hěn

5) 我觉得她是亚洲最好的演员，她的电影很特别，也很

hǎokàn.

好看。

Nǐ kàn nàge qiánbāo de guǎnggào méiyǒu? Nàge qiánbāo gēn wǒ jiějie de yíyàng,

6) 你看那个钱包的广告没有？那个钱包跟我姐姐的一样，

wǒ juéde hěn piàoliang.

我觉得很漂亮。

7. Write the characters.

单元小结

1. 某人＋（不）喜欢＋动词＋名词	例句：我喜欢看电视节目。 我不喜欢打篮球。
2. 好，某些人＋一起＋动词（＋宾语）	例句：好，我们一起去。 好，我们一起看电视。
3. 某人$_1$＋跟＋某人$_2$＋一起＋动词（＋宾语）	例句：我跟你一起看。 我跟他一起打篮球。
4. 主语＋什么时候＋开始？	例句：体育节目什么时候开始？ 比赛什么时候开始？
5. 主语＋时间＋开始	例句：新闻七点开始。 体育节目六点半开始。
6. 主语＋形容词＋极了！	例句：他的表演好极了！ 你的衣服漂亮极了！
7. 主语＋是＋某地＋的	例句：他是亚洲的。 这个电影是欧洲的。
8. 因为＋原因，所以＋结果	例句：因为今天有课，所以我们明天去。 因为今天下雨，所以不上体育课。
9. 哪＋量词＋形容词？	例句：哪个好？ 哪件漂亮？
10. 某人＋动词＋宾语＋没有？	例句：你看广告没有？ 你听音乐没有？
11. 某人＋没（有）＋动词＋宾语	例句：我没看手机的广告。 他没有买电脑。

China's *Gongfu* Films

Audiences all over the world have come to love China's *gongfu* films. Some consider the *gongfu* film to be China's greatest contribution to the world of film. Bruce Lee, the first actor to introduce Chinese *gongfu* to the world, was responsible for bringing the Chinese *gongfu* movie to Hollywood. Chinese-style martial arts can now be seen in more and more Hollywood blockbusters. Today, Jackie Chan is the world's most well-known *gongfu* film star. His prestige and fame have given him great influence internationally, particularly among the Chinese.

Unit Eight Travel and Traditions

第八单元 旅游与风俗

第二十二课　我去过故宫

Learning Objectives

- Talk about your travel experiences.
- Describe somewhere you have been.

Nǐ qùguo Zhōngguó ma?
你去过中国吗?

Wǒ qùguo Zhōngguó.
我去过中国。

Nǐ qùguo Shànghǎi ma?
你去过上海吗?

Wǒ méi qùguo Shànghǎi, wǒ qùguo Běijīng.
我没去过上海，我去过北京。
Wǒ qùguo Gùgōng hé Chángchéng.
我去过故宫和长城。

New Words

1. 过 guo (an aspectual particle)
2. 故宫 Gùgōng the Imperial Palace
3. 长城 Chángchéng the Great Wall
4. 暑假 shǔjià summer holiday
5. 德国 Déguó Germany
6. 台湾 Táiwān Taiwan
7. 旅游 lǚyóu travel, tourism
8. 好玩儿 hǎowánr interesting, amusing
9. 计划 jìhuà to plan; plan
10. 伦敦 Lúndūn London
11. 埃及 Āijí Egypt

Sentence Patterns

1. Nǐ qùguo Gùgōng ma?
你去过故宫吗?
2. Wǒ qùguo Gùgōng.
我去过故宫。
3. Wǒ méi qùguo Chángchéng.
我没去过长城。
4. Tā shǔjià qùle shénme dìfang?
他暑假去了什么地方?
5. Jīnnián shǔjià tā gēn péngyou yìqǐ qùle Déguó.
今年暑假她跟朋友一起去了德国。

Using in Context

1) A: Nǐ shǔjià qùle shénme dìfang?
你暑假去了什么地方?

B: Wǒ qùle Běijīng hé Táiwān.
我去了北京和台湾。

A: Wǒ yě qùguo Běijīng.
我也去过北京。

B: Nǐ qùguo Gùgōng ma?
你去过故宫吗?

A: Wǒ qùguo Gùgōng, hái qùguo Chángchéng.
我去过故宫，还去过长城。

Nǐ qùguo Táiwān ma?
B: 你去过台湾吗？

Wǒ méi qùguo Táiwān.
A: 我没去过台湾。

2) Ann xǐhuan lǚyóu, tā méi qùguo Déguó, jīnnián shǔjià tā gēnpéngyou yìqǐ qùle Déguó. Shǔjià Déguó yǒu hěn hǎo de yīnyuèhuì, Ann hé péngyou kànle Ōuzhōu yǎnyuán hé Měiguó yǎnyuán de biǎoyǎn, tāmen de biǎoyǎn hǎo jí le. Ann yě méi qùguo Fǎguó, péngyou shuō Fǎguó hǎowánr, tā jìhuà zuò huǒchē qù Fǎguó.

Ann喜欢旅游，她没去过德国，今年暑假她跟朋友一起去了德国。暑假德国有很好的音乐会，Ann和朋友看了欧洲演员和美国演员的表演，他们的表演好极了。Ann也没去过法国，朋友说法国好玩儿，她计划坐火车去法国。

1. Number the words in the order that you hear.

Germany	London	Taiwan	Tian'anmen Square	Canada
		①		
USA	France	the Imperial Palace	the Great Wall	Egypt

2. Listen and fill in the chart.

Fǎguó ① 法国	Guǎngzhōu ② 广州	Měiguó ③ 美国	Táiwān ④ 台湾	Āijí ⑤ 埃及
Jiānádà ⑥ 加拿大	Xiānggǎng ⑦ 香港	Běijīng ⑧ 北京	Shànghǎi ⑨ 上海	Déguó ⑩ 德国

Name	I have been to ...	I have not been to ...
明明	⑨	②
小红		
小海		
丽丽		
Mike		

3. Read and match.

1) 我去过长城。
2) 她学习过书法。
3) 他没去过故宫。
4) 我没看过中国电影。
5) 妈妈每天喝中国茶。
6) 他常常打乒乓球。
7) 我们计划去旅游。
8) 上海很好玩儿。

a) Tā méi qùguo Gùgōng.
b) Māma měi tiān hē Zhōngguóchá.
c) Tā chángcháng dǎ pīngpāngqiú.
d) Tā xuéxíguo shūfǎ.
e) Wǒ méi kànguo Zhōngguó diànyǐng.
f) Wǒ qùguo Chángchéng.
g) Shànghǎi hěn hǎowánr.
h) Wǒmen jìhuà qù lǚyóu.

4. Read and complete the dialogues with the words and phrases below.

1) A：你去过故宫吗？(Nǐ qùguo Gùgōng ma?)

B：我去过故宫。(Wǒ qùguo Gùgōng.)

A：你去过 长城 吗？(Nǐ qùguo Chángchéng ma?)

B：我没去过 长城。(Wǒ méi qùguo Chángchéng.)

qù 去	Gùgōng 故宫	Chángchéng 长城

2) A：你看过 中文书 吗？(Nǐ kànguo Zhōngwénshū ma?)

B：我看过 中文书。(Wǒ kànguo Zhōngwénshū.)

A：你看过＿＿＿＿＿＿？(Nǐ kànguo)

B：我没看过＿＿＿＿＿＿。(Wǒ méi kànguo)

kàn 看	Zhōngwénshū 中文书	Fǎwénshū 法文书

3) A：＿＿＿＿＿＿

B：＿＿＿＿＿＿

A：＿＿＿＿＿＿

B：＿＿＿＿＿＿

dǎ 打	pīngpāngqiú 乒乓球	wǎngqiú 网球

5. Complete the sentences with the verbs from the box.

tī	xuéxí	kàn	mǎi	qù	dǎ
① 踢	② 学习	③ 看	④ 买	⑤ 去	⑥ 打

Bàba guo Běijīng hé Shànghǎi.
1) 爸爸______过北京和上海。

Māma guo Zhōngguóchá.
2) 妈妈______过中国茶。

Gēge guo Zhōngguó diànyǐng.
3) 哥哥______过中国电影。

Jiějie guo shūfǎ.
4) 姐姐______过书法。

Tā méi guo pīngpāngqiú.
5) 他没______过乒乓球。

Wǒ méi guo zúqiú.
6) 我没______过足球。

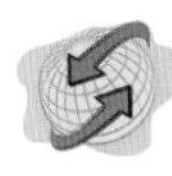

6. Translate the following sentences.

Wǒ méi dǎguo pīngpāngqiú, wǒ jīntiān kāishǐ xuéxí dǎ pīngpāngqiú. Gēge xǐhuan
1) 我没打过乒乓球，我今天开始学习打乒乓球。哥哥喜欢

dǎ pīngpāngqiú, tā gēn wǒ yìqǐ qù dǎ pīngpāngqiú.
打乒乓球，他跟我一起去打乒乓球。

Wǒ de māma jīnnián shǔjià zuò fēijī qùle Běijīng. Māma bú huì shuō Hànyǔ,
2) 我的妈妈今年暑假坐飞机去了北京。妈妈不会说汉语，

hěn duō Zhōngguórén huì shuō Yīngyǔ, tā zài Běijīng hěn gāoxìng.
很多中国人会说英语，她在北京很高兴。

Wǒ hé péngyou xiǎng qù Shànghǎi lǚyóu. Shànghǎi hěn dà, hěn hǎowánr. Wǒmen
3) 我和朋友想去上海旅游。上海很大，很好玩儿。我们

jìhuà zuò fēijī qù Shànghǎi.
计划坐飞机去上海。

7. Practice your pronunciation.

Dēng Guànquè Lóu
登鹳雀楼

Bái rì yī shān jìn,
白日依山尽，

Huáng Hé rù hǎi liú.
黄河入海流。

Yù qióng qiān lǐ mù,
欲穷千里目，

Gèng shàng yì céng lóu.
更上一层楼。

On the Stork Tower

The sun beyond the mountains glows.
The Yellow River seawards flows.
You can enjoy a grander sight
By climbing to a greater height.

8. Write the characters.

过

宫

城

台

美

第二十三课　广州比北京热得多

Learning Objectives

- Compare the weather in two places.
- Talk about your plans for summer vacation.

Shǔjià nǐmen xiǎngqù nǎr?
暑假你们想去哪儿?

Wǒ shǔjià qù Zhōngguó, wǒ xiǎngqù Běijīng hé Guǎngzhōu.
我暑假去中国，我想去北京和广州。

Wǒ jiā zài Guǎngzhōu, Guǎngzhōu bǐ Běijīng rè de duō, xiàtiān rè de bùdéliǎo.
我家在广州，广州比北京热得多，夏天热得不得了。

Wǒ xiǎng qù Shànghǎi, nǐ ne?
我想去上海，你呢?

Wǒ xiǎng qù Táiwān.
我想去台湾。

Táiwān bǐ Shànghǎi yuǎn de duō.
台湾比上海远得多。

New Words

1. de 得 (a structural particle)
2. xiàtiān 夏天 summer
3. bùdéliǎo 不得了 extreme
4. hǎitān 海滩 beach
5. fēngjǐng 风景 scenery
6. yuǎn 远 far
7. dǎsuàn 打算 to plan, to intend
8. hǎi biān 海边 seaside
9. jìn 近 near, close
10. dōngtiān 冬天 winter
11. dìtú 地图 map

Sentence Patterns

1. Guǎngzhōu bǐ Běijīng rè de duō.
广州比北京热得多。
2. Xiàtiān rè de bùdéliǎo.
夏天热得不得了。
3. Shǔjià nǐ xiǎng qù nǎr?
暑假你想去哪儿?
4. Wǒ xiǎng qù Běijīng hé Guǎngzhōu.
我想去北京和广州。
5. Wǒmen zài hǎitān sànbù、kàn fēngjǐng.
我们在海滩散步、看风景。

Using in Context

1) A: Shǔjià wǒ xiǎng qù Fǎguó, nǐ ne?
暑假我想去法国，你呢?

B: Wǒ xiǎng qù Zhōngguó.
我想去中国。

A: Zhōngguó bǐ Fǎguó yuǎn de duō.
中国比法国远得多。

B: Nǐ qùguo Zhōngguó ma?
你去过中国吗?

Wǒ qùguo Běijīng hé Guǎngzhōu, Běijīng dà de bùdéliǎo.
A: 我去过北京和广州，北京大得不得了。

Guǎngzhōu dà bú dà?
B: 广州大不大？

Guǎngzhōu yě hěn dà, Guǎngzhōu xiàtiān rè de bùdéliǎo.
A: 广州也很大，广州夏天热得不得了。

Mary hé gēge jīnnián xiàtiān dǎsuàn qù Zhōngguó. Tāmen xiǎng qù Běijīng hé Táiwān, Běijīng hé Táiwān dōu yǒu piàoliang de fēngjǐng. Jiějie yào qù Fǎguó. Tā gēn péngyou yìqǐ qù hǎitān. Fǎguó bǐ Zhōngguó jìn de duō, hǎi biān de fēngjǐng hěn piàoliang. Shǔjià kuàiyào kāishǐ le, Mary hé gēge、jiějie dōu gāoxìng de bùdéliǎo.

2) Mary和哥哥今年夏天打算去中国。他们想去北京和台湾，北京和台湾都有漂亮的风景。姐姐要去法国。她跟朋友一起去海滩。法国比中国近得多，海边的风景很漂亮。暑假快要开始了，Mary和哥哥、姐姐都高兴得不得了。

1. Number the pictures in the order that you hear.

______

______

______

______

______

______

______

2. Listen and mark each sentence with √ or ×.

1) Xiaohong is swimming in the sea. （ × ）

2) Jim is in the Beijing Hotel which is not far from Tian'anmen Square. （　　）

3) There are many people in the train station. （　　）

4) Xiaohai is going to Shanghai by plane. （　　）

5) Mike is in a beautiful city in France. （　　）

3. Read and match.

1) 长城比故宫远得多。	a) Shìzhōngxīn bǐ hǎi biān rè de duō.
2) 汽车站比火车站近得多。	b) Gēge bǐ dìdi gāo de duō.
3) 哥哥比弟弟高得多。	c) Qìchēzhàn bǐ huǒchēzhàn jìn de duō.
4) 客厅比卧室大得多。	d) Chángchéng bǐ Gùgōng yuǎn de duō.
5) 夏天比春天热得多。	e) Jīntiān bǐ zuótiān lěng de duō.
6) 今天比昨天冷得多。	f) Kètīng bǐ wòshì dà de duō.
7) 市中心比海边热得多。	g) Xiàtiān bǐ chūntiān rè de duō.

4. Read the dialogues. Then make your own dialogues with the words below.

1) A：Qǐngwèn, huǒchēzhàn yuǎn bu yuǎn?
请问，火车站远不远？

B：Huǒchēzhàn bù yuǎn.
火车站不远。

A：Jīchǎng yuǎn bu yuǎn?
机场远不远？

B：Jīchǎng hěn yuǎn, jīchǎng bǐ huǒchēzhàn yuǎn de duō.
机场很远，机场比火车站远得多。

fàndiàn 饭店	shāngdiàn 商店
diànyǐngyuàn 电影院	jùyuàn 剧院
tǐyùguǎn 体育馆	túshūguǎn 图书馆

2) A：Jīntiān de zuòyè nán bu nán?
今天的作业难不难？

B：Jīntiān de zuòyè nán de bùdéliǎo.
今天的作业难得不得了。

A：Zuótiān de zuòyè nán bu nán?
昨天的作业难不难？

B：Zuótiān de zuòyè bú tài nán.
昨天的作业不太难。

tiānqì 天气	lěng 冷
tǐyù jiémù 体育节目	hǎo 好
kǎoshì 考试	róngyì 容易

5. Complete the sentences with the adjectives from the box.

① duō 多 ② nán 难 ③ rè 热 ④ hǎo 好 ⑤ guì 贵 ⑥ yuǎn 远

1) Jīchǎng ______ de bùdéliǎo.
机场______得不得了。

2) Túshūguǎn de shū ______ de bùdéliǎo.
图书馆的书______得不得了。

3) Tāmen de biǎoyǎn ______ de bùdéliǎo.
他们的表演______得不得了。

4) Jīntiān de zuòyè bǐ zuótiān de zuòyè ______ de duō.
今天的作业比昨天的作业______得多。

5) Jīntiān bǐ zuótiān ______ de duō.
今天比昨天______得多。

6) Zhè jiàn yīfu bǐ nà jiàn yīfu ______ de duō.
这件衣服比那件衣服______得多。

6. Translate the following sentences.

Wǒ hé péngyou xiàtiān qùle hǎitān, hǎi biān de fēngjǐng hěn piàoliang. Wǒmen zài
1) 我和朋友夏天去了海滩，海边的风景很漂亮。我们在

hǎitān sànbù、kàn fēngjǐng.
海滩散步、看风景。

Běijīng de dōngtiān lěng de bùdéliǎo, Běijīng de chūntiān chángcháng yǒu fēng.
2) 北京的冬天冷得不得了，北京的春天 常常 有 风。

Běijīng de qiūtiān bǐ chūntiān hǎo de duō, qiūtiān shì Běijīng zuì hǎo de jìjié.
北京的秋天比春天好得多，秋天是北京最好的季节。

Wǒ bàba māma dǎsuàn qiūtiān qù Běijīng.
我爸爸妈妈打算秋天去北京。

Wǒ jiějie xǐhuan xuéxí yǔyán, tā de Hànyǔ bǐ wǒ de hǎo de duō. Tā
3) 我姐姐喜欢学习语言，她的汉语比我的好得多。她

dǎsuàn shǔjià qù Déguó xuéxí Déyǔ.
打算暑假去德国学习德语。

7. Write the characters.

夏

海

远

近

得

第二十四课 吃月饼，看月亮

Learning Objectives

- Talk about traditional festivals.
- Talk about Mid-Autumn Festival traditions.

New Words

1.	yuèbing 月饼	moon cake	2.	Zhōngqiū Jié 中秋节	the Mid-Autumn Festival
3.	chúle 除了	besides	4.	Duānwǔ Jié 端午节	the Dragon Boat Festival
5.	zòngzi 粽子	rice dumpling	6.	fàngjià 放假	to have a school break, to have a holiday
7.	yuèliang 月亮	moon	8.	hǎochī 好吃	delicious
9.	lóngzhōu 龙舟	dragon boat	10.	yǒuqù 有趣	funny, interesting

Sentence Patterns

Nǐ chī yuèbing bù chī?
1. 你吃月饼不吃？

Nǐ bù chī yuèbing ma?
2. 你不吃月饼吗？

Zhōngqiū Jié Zhōngguórén chúle chī yuèbing, hái chī shuǐguǒ.
3. 中秋节中国人除了吃月饼，还吃水果。

Duānwǔ Jié Zhōngguórén yào chī zòngzi.
4. 端午节中国人要吃粽子。

Nǐ chúle xuéxí Hànyǔ, hái xuéxí shénme?
5. 你除了学习汉语，还学习什么？

Using in Context

1) A: Wǒ qù shāngdiàn mǎi yuèbing, nǐ qù shāngdiàn bú qù?
A: 我去商店买月饼，你去商店不去？

B: Wǒ gēn nǐ yìqǐ qù ba.
B: 我跟你一起去吧。

A: Wǒmen chúle mǎi yuèbing, hái mǎi shénme?
A: 我们除了买月饼，还买什么？

B: Hái mǎi shuǐguǒ hé diǎnxin.
B: 还买水果和点心。

Wǒmen bù mǎi chá ma?
A: 我们不买茶吗?

Mǎi ba, Xiǎohóng de péngyou xǐhuan hē chá.
B: 买吧，小红的朋友喜欢喝茶。

Zhōngguó yǒu Zhōngqiū Jié hé Duānwǔ Jié, xuéxiào fàngjià. Zhōngqiū Jié Zhōngguórén yào chī yuèbing, kàn yuèliang. Yuèbing hěn hǎochī. Zhōngqiū Jié de yuèliang hěn dà, hěn piàoliang. Duānwǔ Jié Zhōngguórén yào chī zòngzi, chúle chī zòngzi, hái kàn lóngzhōu bǐsài, lóngzhōu bǐsài hěn yǒuqù.

2) 中国有中秋节和端午节，学校放假。中秋节中国人要吃月饼，看月亮。月饼很好吃。中秋节的月亮很大，很漂亮。端午节中国人要吃粽子，除了吃粽子，还看龙舟比赛，龙舟比赛很有趣。

1. Number the pictures in the order that you hear.

______

______

______

①

______

______

______

______

2. Listen and mark each sentence with √ or ×.

1) Xiaohong is going to buy some moon cakes. (√)

2) Mum would like to drink a cup of tea. (   )

3) Xiaohai likes watching TV. (   )

4) Mike will go to a gym on Saturday. (   )

5) Lili would not like to eat a moon cake. (   )

3. Read and match.

Wǒ chúle xuéxí Hànyǔ, 1) 我除了学习汉语，	hái kàn lóngzhōu. a) 还看龙舟。
Zhōngqiū Jié chúle chī yuèbing, 2) 中秋节除了吃月饼，	hái mǎi kāfēi. b) 还买咖啡。
Duānwǔ Jié chúle chī zòngzi, 3) 端午节除了吃粽子，	hái xuéxí Fǎyǔ. c) 还学习法语。
Māma chúle mǎi chá, 4) 妈妈除了买茶，	hái dǎ yǔmáoqiú. d) 还打羽毛球。
Gēge chúle dǎ wǎngqiú, 5) 哥哥除了打网球，	hái kàn yuèliang. e) 还看月亮。

4. Make dialogues according to the pictures below.

1)

Zhōngqiū Jié nǐmen chúle chī
中秋节你们除了吃
yuèbing, hái chī shénme?
月饼，还吃什么？

Wǒmen chúle chī yuèbing,
我们除了吃月饼，
hái chī shuǐguǒ.
还吃水果。

2) 

Xīngqīliù nǐ chúle qù …,
星期六你除了去……，
hái qù nǎr?
还去哪儿？
Wǒ chúle qù …,
我除了去……，
hái qù …
还去……

3)

Nǐ chúle kàn …,
你除了看……，
hái kàn shénme?
还看什么？
Wǒ …
我……

4)

ENGLISH
FRANCE
Nǐ chúle xuéxí …,
你除了学习……，
hái …?
还……？
……

5. Match the Chinese with the English.

Nǐ mǎi bù mǎi zázhì? 1) 你买不买杂志？	a) Would you like to eat a moon cake?
Nǐ chī yuèbing bù chī? 2) 你吃月饼不吃？	b) Would you like to buy a magazine?
Nǐ hē chá bù hē? 3) 你喝茶不喝？	c) Would you like to go to the library?
Nǐ qù túshūguǎn bú qù? 4) 你去图书馆不去？	d) Would you like to play tennis?
Nǐ kàn lóngzhōu bú kàn? 5) 你看 龙舟不看？	e) Would you like to have a cup of tea?
Nǐ dǎ wǎngqiú bù dǎ? 6) 你打网球不打？	f) Would you like to see dragon boats?

6. Translate the following sentences.

1) Wǒ de péngyou Xiǎohóng shì Zhōngguórén, jīntiān Zhōngqiū Jié, wǒmen xuéxiào fàngjià, wǒ qù tā jiā. Wǒ zài tā jiā chī yuèbing, kàn yuèliang. Yuèbing hǎochī jí le, Zhōngqiū Jié de yuèliang yě piàoliang jí le.
我的朋友小红是中国人，今天中秋节，我们学校放假，我去她家。我在她家吃月饼，看月亮。月饼好吃极了，中秋节的月亮也漂亮极了。

2) Jīntiān shì Duānwǔ Jié. Yīnwèi Duānwǔ Jié yǒu lóngzhōu bǐsài, suǒyǐ wǒmen xǐhuan Duānwǔ Jié. Wǒmen chúle chī zòngzi, hái kàn lóngzhōu bǐsài. Lóngzhōu bǐsài hěn yǒuqù, měi gè rén dōu gāoxìng de bùdéliǎo.
今天是端午节。因为端午节有龙舟比赛，所以我们喜欢端午节。我们除了吃粽子，还看龙舟比赛。龙舟比赛很有趣，每个人都高兴得不得了。

7. Write the characters.

秋 ノ 二 千 千 禾 禾 禾 秒 秋

午 ノ 𠂉 亻 午

龙 一 ナ 九 尤 龙

饼 ノ 𠂉 饣 饣 饣 饣 饣 饼 饼

除 ㇋ 阝 阝 阝 阝 阝 阝 阝 除

单元小结

句型	例句
1. 某人＋动词＋过＋宾语＋吗？	例句：你爸爸去过故宫吗？ 你学习过书法吗？ 妈妈看过中国电影吗？
2. 某人＋动词＋过＋宾语	例句：他去过北京。 我学习过书法。 妈妈看过中国电影。
3. 某人＋没（有）＋动词＋过＋宾语	例句：他没去过长城。 我没去过广州。 爸爸没看过中国电影。
4. A比B＋形容词＋得多	例句：广州比北京热得多。 机场比火车站远得多。 哥哥比弟弟高得多。
5. 主语＋形容词＋得＋不得了	例句：夏天热得不得了。 法语作业难得不得了。 机场远得不得了。
6. 某人＋动词＋宾语＋不＋动词$_{重}$？	例句：你吃月饼不吃？ 你去商店不去？ 妈妈喝茶不喝？
7. 某人＋不＋动词＋宾语＋吗？	例句：你不吃月饼吗？ 姐姐不打乒乓球吗？ 他不看电影吗？
8. 主语＋除了＋动词词组$_1$，还＋动词词组$_2$	例句：我们除了吃月饼，还吃水果。 端午节除了吃粽子，还看龙舟。 弟弟除了学习汉语，还学习法语。

Three Traditional Festivals in China

The Spring Festival, or Lunar New Year, is the grandest and most important of China's traditional festivals, with a number of traditional customs. Before the festival, most people put up special New Year pictures in their homes and spring "couplets" on either side of their front door (two long paper strips with half of the "couplet" written on each strip). During the festival, customs include setting off firecrackers, visiting one's elders to extend New Year's greetings, and giving *hongbao* (red packets with money) to the younger generation. There are also a number of community events organized for the Spring Festival, such as temple fairs and lion or dragon dances.

Two lesser but still much-loved festivals in China are the Mid-Autumn Festival and the Dragon Boat Festival. The customs of the Mid-Autumn Festival are the eating of moon cakes and enjoying the beautiful full moon. The Dragon Boat Festival is observed to honor the memory of Qu Yuan, who was a great patriot and skilled poet in ancient times. This festival's main customs are the eating of *zongzi* (a sticky rice dumpling shaped like a pyramid and steamed in bamboo leaves) and watching dragon boat races.

词语表

词语	拼音	英文	课数
A			
埃及	Āijí	Egypt	22
安静	ānjìng	to be quiet; quiet	6
B			
白（色）	bái(sè)	white	16
本	běn	(a measure word for books)	6
比	bǐ	than	2
比赛	bǐsài	match, competition	19
表演	biǎoyǎn	performance	17
病	bìng	to be ill	15
不得了	bùdéliǎo	extreme	23
C			
草地	cǎodì	lawn; grassland	14
长	cháng	long	9
长城	Chángchéng	the Great Wall	22
常常	chángcháng	often	13
唱片	chàngpiàn	record, (vinyl) disc	17
成绩	chéngjì	result, grade	11
除了	chúle	besides	24
穿	chuān	to wear, to put on	16
床	chuáng	bed	4
春天	chūntiān	spring	13
D			
打算	dǎsuàn	to plan, to intend	23
蛋糕	dàngāo	cake	7
德国	Déguó	Germany	22
德语	Déyǔ	German (language)	10
得	de	(a structural particle)	23
灯	dēng	lamp	4
等	děng	to wait for	18
地方	dìfang	place	1
地理	dìlǐ	geography	10
地铁	dìtiě	underground	21
地图	dìtú	map	23
弟弟	dìdi	younger brother	3
点心	diǎnxin	snacks, light refreshments, pastries	7
订票	dìng piào	to reserve a ticket	18

东边	dōngbian	east	5
东西	dōngxi	thing	7
冬天	dōngtiān	winter	23
都	dōu	all	18
度	dù	degree	13
肚子	dùzi	stomach	15
端午节	Duānwǔ Jié	the Dragon Boat Festival	24
短	duǎn	short	9
对面	duìmiàn	opposite	5
多	duō	many, much	1
多	duō	how (old, high, etc.)	2
多少	duōshao	how many, how much	8

F

法国	Fǎguó	France	20
法语	Fǎyǔ	French (language)	2
饭	fàn	meal, dinner	3
饭厅	fàntīng	dining room	5
放假	fàngjià	to have a school break, to have a holiday	24
非常	fēicháng	very, extremely	20
分	fēn	cent (0.01 yuan)	8
风	fēng	wind	13
风景	fēngjǐng	scenery	23

G

干净	gānjìng	clean	6
感冒	gǎnmào	to catch a cold	15
高	gāo	high, tall	2
高兴	gāoxìng	happy, glad	17
歌星	gēxīng	star singer	20
跟	gēn	with	9
公园	gōngyuán	park	14
故宫	Gùgōng	the Imperial Palace	22
广告	guǎnggào	advertisement	21
贵	guì	expensive	9
国际	guójì	international	20
国家	guójiā	country, nation	1
过	guo	(an aspectual particle)	22

H

还	hái	also, else	7
孩子	háizi	child	14
海边	hǎi biān	seaside	23
海滩	hǎitān	beach	23
汉语	Hànyǔ	Chinese (language)	2
好	hǎo	okay, all right	19
好吃	hǎochī	delicious	24

好玩儿	hǎowánr	interesting, amusing	22
号码	hàomǎ	number	1
和	hé	and	7
黑（色）	hēi(sè)	black	16
红	hóng	red	15
红（色）	hóng(sè)	red	16
湖	hú	lake	14
花	huā	flower	6
花园	huāyuán	garden	6
欢迎	huānyíng	to welcome	1
黄（色）	huáng(sè)	yellow	16
回	huí	to return	18

J

鸡	jī	chicken	8
极	jí	extremely	20
计划	jìhuà	to plan; plan	22
季节	jìjié	season	13
家具	jiājù	furniture	6
件	jiàn	(a measure word)	9
教育	jiàoyù	education	19
斤	jīn	a half kilo (unit of weight)	7
今年	jīnnián	this year	2
近	jìn	near, close	23
京剧	jīngjù	Beijing Opera	17
酒	jiǔ	wine	7
剧院	jùyuàn	theatre	17
觉得	juéde	to feel; to think	21

K

开始	kāishǐ	to begin, to start	3
看书	kàn shū	reading; to read a book	19
考试	kǎoshì	examination	11
科目	kēmù	subject	11
客厅	kètīng	living room	4
裤子	kùzi	trousers	16
块（元）	kuài (yuán)	yuan	8
快要	kuàiyào	to be about to, to be going to	18

L

来	lái	to come	12
蓝（色）	lán (sè)	blue	16
老年人	lǎoniánrén	old people, older generation	17
了	le	(an aspectual particle)	10
累	lèi	tired	15
里	li	in, inside; at; on	4
历史	lìshǐ	history	10

零	líng	used in expressions of time, age, weight, etc. between two different denominations	8
流行	liúxíng	popular	16
龙舟	lóngzhōu	dragon boat	24
旅游	lǚyóu	travel, tourism	22
伦敦	Lúndūn	London	22

M

马上	mǎshàng	immediately	19
买	mǎi	to buy	7
毛（角）	máo (jiǎo)	ten cents (0.10 yuan)	8
毛笔	máobǐ	Chinese calligraphy brush	4
毛衣	máoyī	sweater	9
没（有）	méi (yǒu)	not to have	21
没意思	méi yìsi	to be bored, to be boring	11
每天	měi tiān	every day	3
妹妹	mèimei	younger sister	3
门	mén	door	5
名字	míngzi	name	1
明天	míngtiān	tomorrow	10

N

奶奶	nǎinai	grandmother	14
南边	nánbian	south	5
难	nán	difficult	11
你们	nǐmen	you	1
你们的	nǐmen de	your; yours	6
年龄	niánlíng	age	2
年轻人	niánqīngrén	young people, younger generation	17

O

欧洲	Ōuzhōu	Europe	20

P

跑	pǎo	to run	14
朋友	péngyou	friend	1
便宜	piányi	cheap	9
票	piào	ticket	17
漂亮	piàoliang	beautiful	6
乒乓球	pīngpāngqiú	table tennis	12
瓶	píng	a bottle of	7

Q

起床	qǐchuáng	to get up	3
钱	qián	money	8
钱包	qiánbāo	wallet	21

青菜	qīngcài	vegetables	8
晴天	qíngtiān	clear day	13
秋天	qiūtiān	fall, autumn	13

R

容易	róngyì	easy	11
肉	ròu	meat	8

S

散步	sànbù	to take a walk	14
沙发	shāfā	sofa, couch	4
上	shang	on	4
上（课）	shàng (kè)	to go to (class)	10
上星期	shàng xīngqī	last week	15
上学	shàngxué	to go to school	12
谁	shéi	who	1
时候	shíhou	time	19
时间	shíjiān	time	10
时间表	shíjiānbiǎo	timetable, schedule	3
市中心	shìzhōngxīn	city centre	21
收音机	shōuyīnjī	radio	21
手表	shǒubiǎo	watch	21
手机	shǒujī	mobile phone	21
书	shū	book	4
书法	shūfǎ	calligraphy	12
书架	shūjià	bookshelf	4
书桌	shūzhuō	desk	6
舒服	shūfu	to be well	15
暑假	shǔjià	summer holiday	22
数学	shùxué	mathematics	10
水	shuǐ	water	7
睡觉	shuìjiào	to sleep	3
说	shuō	to speak	2
所以	suǒyǐ	so, therefore	20

T

他们	tāmen	they, them	1
他们的	tāmen de	their; theirs	20
她	tā	she, her	2
台湾	Táiwān	Taiwan	22
太……了	tài … le	too (big, cold, etc.)	13
太极拳	tàijíquán	*taijiquan*	14
特别	tèbié	especially; special	21
疼	téng	ache, pain	15
踢	tī	to play (football); to kick	12
天气	tiānqì	weather	19
听	tīng	to listen	18

头	tóu	head	15

W

玩	wán	to play	14
晚	wǎn	late	3
晚上	wǎnshang	evening	3
网友	wǎngyǒu	e-pal	2
卫生间	wèishēngjiān	bathroom	5
卧室	wòshì	bedroom	5

X

夏天	xiàtiān	summer	23
下午	xiàwǔ	afternoon	10
下一个	xià yí gè	next	19
鞋	xié	shoes	16
谢谢	xièxie	to thank	2
新	xīn	new	16
新闻	xīnwén	news	19
姓	xìng	to be surnamed	1
休息	xiūxi	to have a rest, to have a break	18
学（习）	xué (xí)	to study, to learn	12

Y

亚洲	Yàzhōu	Asia	20
颜色	yánsè	colour	16
眼睛	yǎnjing	eye	15
要	yào	to want	7
爷爷	yéye	grandfather	14
衣服	yīfu	clothes	9
一共	yígòng	altogether, in all	8
一样	yíyàng	(to be the) same	9
一点儿	yìdiǎnr	a little, a bit	9
一起	yìqǐ	together	19
椅子	yǐzi	chair	4
艺术	yìshù	art	2
因为	yīnwèi	because	20
音乐会	yīnyuèhuì	concert	18
英语	Yīngyǔ	English (language)	2
游泳池	yóuyǒngchí	swimming pool	12
有空儿	yǒu kòngr	to be free, to have free time	11
有名	yǒumíng	famous	20
有趣	yǒuqù	funny, interesting	24
有时候	yǒu shíhou	sometimes	14
有意思	yǒu yìsi	interesting	11
羽毛球	yǔmáoqiú	badminton	12
雨	yǔ	rain	13
语言	yǔyán	language	12

预报	yùbào	forecast	19
远	yuǎn	far	23
月饼	yuèbing	moon cake	24
月亮	yuèliang	moon	24
越来越	yuè lái yuè	more and more	16
运动鞋	yùndòngxié	sneakers	9

Z

杂志	zázhì	magazine	6
早	zǎo	early	3
展览会	zhǎnlǎnhuì	exhibition	3
张	zhāng	(a measure word for ticket, paper, map, disc, table, etc.)	17
真	zhēn	really	6
整齐	zhěngqí	tidy, neat	6
中秋节	Zhōngqiū Jié	the Mid-Autumn Festival	24
中心	zhōngxīn	centre	21
中学	zhōngxué	secondary school	11
周末	zhōumò	weekend	10
猪肉	zhūròu	pork	8
桌子	zhuōzi	table	4
自行车	zìxíngchē	bicycle	9
粽子	zòngzi	rice dumpling	24
足球	zúqiú	football, soccer	12
最	zuì	the most	13
做饭	zuò fàn	cook	5
作业	zuòyè	homework	11